HIL-Stacks

La saga de los Marx

Literatura Mondadori, 1

La saga de los Marx

Juan Goytisolo

MONDADORI

Barcelona, 1993

Primera edición: diciembre 1993
Segunda edición: enero 1994

Diseño: Àngels Prats i Nadal
ISBN: 84-397-1915-9
Depósito legal: M. 559-1994
Impreso y encuadernado en Artes Gráficas Huertas, S.A.
Fuenlabrada (Madrid)

A José Vilarasau,
con la fiel amistad
de casi medio siglo

Dramatis personae

Karl Marx (1818-1883). Padre del socialismo científico. Denominado Moro por la familia y amigos. Otros apodos: Devil, Old Nick, Challey, el Amo.

Jenny von Westphalen (1814-1881). Esposa del pensador revolucionario. Denominada familiarmente Möhme.

Jenny Marx (1844-1883). Hija primogénita del matrimonio. Denominada usualmente Jennychen. Otros apodos: Dí, Quiquí, Emperador de la China. Esposa de Charles Longuet.

Laura Marx (1845-1911). Hija segunda de Karl y Jenny. Apodada Hotentote o Kakadú. Esposa de Paul Lafargue.

Eleanor Marx (1855-1898). Hija menor del matrimonio. Denominada familiarmente Tussy. Compañera de Edward Aveling.

Helena Demuth (1823-1890). Doméstica de la familia Marx desde su exilio a Bruselas. Conocida habitualmente por Lenchen y, a veces, Nim.

I

GUARDA, Carlo!
(lo había dicho en italiano?)
che bel transatlantico!
apuntaba con el dedo enjoyado hacia el horizonte calino, a la silueta esfuminada de un buque con camarotes de lujo, chimeneas, radar, antenas, puente de mando, surgido allí, frente a aquella playa selecta, como por efecto de un trampantojo o engaño
desde su paralela horizontalidad, acomodados en colchonetas listadas que, como las casetas y toldos del bar, reproducían los colores del emblema nacional, a la sombra de las artificiosas cabañas polinesias o expuestos al sol, previamente protegidos con gafas y cremas heliofiltrantes, los bañistas no parecían reparar en él
habían pagado para ocupar su pequeña parcela de dicha costera un abono semanal o mensual de precios inaccesibles a la mayoría de sus paisanos
(esos turistas de guía y mochila, decían con mueca despectiva)
o, como algunos privilegiados, un pase de temporada tan valioso y envidiable para el común de los mortales como el abono completo al repertorio anual de La Scala
(una economía formidable según la dama de al lado, adicta desde hacía años a aquel establecimiento frecuentado tan sólo por gente conocida y en el que el apretujamiento, en vez de implicar incomodidad física y olfativa como en los auto-

buses y el metro, creaba al contrario entre sus clientes un cosquilleo halagador de exquisita solidaridad)
ello les permitía sonreír de un modo benigno y cómplice cuando algún crío desnudo armado de pala y cubos molestaba a sus vecinos con sus castillos de arena
oh, ce n'est rien, laissez-le s'amuser, il est tellement charmant!
pasmados todos ante el tierno retoño ilustrador de las virtudes promovidas por la ubicua publicidad televisiva en materia de equilibrada alimentación infantil, bañadores, champús proteínicos y juegos de playa
nadie exhibía allí sus gustos plebeyos con la estridencia cacofónica de transistores, las parejas se aislaban musicalmente con sus minimagnetófonos de auriculares mientras sorbían con pajitas burbujeantes y deliciosas bebidas frías e intercambiaban miradas de somnolencia o ventura provistas de la parafernalia de lacas, leches hidratantes, bálsamos rejuvenecedores, cremas antiarrugas y regeneradores capilares adecuada a la gloriosa calidez del día
(también los perritos ladradores, juguetones, con la lengüecilla fuera, corrían por la orilla y se revolcaban en la arena alentados por la condescendencia de sus amos, emulando entre sí en nobleza de casta y bien acrisolado pedigrí)
de vez en cuando, alguna mamá joven de pechos erectos y aguijadores cumplía el ritual de reñir mimosamente a su perro, besuqueaba al chucho en el hocico, cepillaba y peinaba sus crines agitadas por el viento, prodigaba consejos de prudencia y cordura a los que el risueño destinatario respondía con ágiles lengüetazos, en una escena de candidez y espontaneidad destinada a mostrar a la galería las gracias y virtudes amatorias de la interesada, la criatura de abundosa cabellera dorada y pezones tiesos, de sugerente y convidadora succión
un día de verano como los demás, exactamente como los

demás, en aquel ámbito aislado de la barata morenez del gentío por personal diestro y aguerrido en la vigilancia de entradas y pases fronterizos, afable y servicial con los excelsos y de excluyente rigor con mirones e intrusos, ésta es una playa privada, no han visto el letrero? aquí no entran más que los socios y los abonados, si quieren bañarse gratis vayan al otro lado del espigón, allí estarán con los suyos!
felicidad estival, pura felicidad estival, letargo enjundioso de la postsiesta, amodorramiento colectivo, beatitud compartida de sosegadas parejas que, aun despojadas de vestimentas y prendas identificatorias, lucían no obstante sus señas distintivas, bolsos, sombreros, joyas, niños, perritos, como otros tantos símbolos de su encumbrado status
(yuppies
burgueses
terratenientes
mafiosos de capital blanqueado y níveo
traficantes de armas
contrabandistas de alcurnia
funcionarios y jefes de la OTAN
un archiduque blondo y rollizo)
en un dolce far niente disipador, que les acunaba y adormecía
cómo explicar si no que nadie advirtiera antes la inmediatez inquietante, conminatoria y maciza del buque?
su mole ingente se había arrimado a la playa a riesgo de encallar y vencerse, junto a la piscina, camarotes de lujo y en el puente de mando engalanados oficiales escrutaban la orilla con sus prismáticos, otros dirigían las maniobras de la tripulación para inmovilizar el navío, el carácter insólito de la escena y rigidez acartonada del transatlántico maravillaban y confundían, por qué habían arrojado el ancla en aquella playa, precisamente en aquella playa en vez de amarrar en el puerto cercano o proseguir serenamente la trave-

sía? era para hacerles gozar de la magnificencia del espectáculo o abrigaban quizás intenciones aviesas y ocultas?
casi todos se habían incorporado en las colchonetas y examinaban con sorpresa y aprensión compartidas la silueta panzuda del transatlántico acribillada de legañosos ojos de buey y sus ventanales, pasaderas, mástiles, lanchas de salvamento en torno a las cuales parecía arremolinarse de pronto una extraña y vocinglera multitud
algunas amazonas habían corrido a la vera del mar abrazadas a sus críos y chuchos, las gafas de sol alzadas sobre sus frentes como las actrices de los culebrones en boga o conforme a las sagaces instrucciones de las pitonisas de *Marie Claire*, braguitas triangulares ajustadas al vello púbico, vientres cobrizos, pechos lozanos, cabellos sabiamente alborotados, saludando con columbina inocencia el ajetreo insectil de la muchedumbre masculina alrededor de las lanchas salvavidas y cubiertas superiores del buque-maqueta, el clamor cada vez más audible de la masa de metecos impacientes, deslumbrados por la visión mirífica del Edén, esa remota e inaccesible Tierra Prometida entrevista hasta entonces por el ojo de cíclope, plétora, exuberancia, riqueza, como lo mostraba la lisa y bien barrida playa atestada de gente refinada y bella, extasiados ante la inmediatez de tantas criaturas luminosas después de una vida entera de fealdad, sacrificios, privación y miseria
los oficiales trataban de imponer un semblante de orden en la feroz arrebatiña de candidatos a los botes de desembarco, había corrido la voz de tierra a la vista y emergían a granel de las entrañas del buque por trampas y escotillas, demacrados, hirsutos, ansiosos, aferrados unos a otros, animándose entre sí con sus gritos, la carga de las lanchas era manifiestamente excesiva, pero ninguno se resignaba a dejar su puesto con tanto empeño y ardor conseguido, nuevos candidatos saltaban aún en plena maniobra de descenso y se aferraban

a las cuerdas en racimos, los más impacientes se arrojaban directamente al mar con boyas y chalecos flotadores o se zambullían de un chapuzón con las narices tapadas, confiando su suerte al destino
sabían nadar al menos?
nadie podía estar seguro de ello tanto era el brío y rapidez con los que se lanzaban al agua, con ayuda de prismáticos se podía avistar su manoteo furioso, la torpe tentativa de asirse a los botes archiplenos so pena de provocar un vuelco, las manos tendidas y rechazadas, la ayuda generosa de los más hábiles a quienes desesperadamente boqueaban con los pulmones llenos de agua, el transatlántico vaciaba sin tregua su carga humana y los de arriba forcejeaban a puñadas por la conquista de los últimos puestos, no quedaba otro remedio a los restantes (docenas, centenares?) que saltar por la borda, en grupo o por unidades, como esos náufragos del *Titanic* reproducidos en las láminas ilustrativas de libros y álbumes
el espectáculo del buque barrigón y cetáceo (rodeado de frágiles barquichuelas y enjambres de braceadores que, como un banco de peces atrapado en las redes de una almadraba, sacudía la lumbre del agua con bruscos coletazos y producía un rumor semejante a la ebullición) era tan absurdo como estremecedor
quiénes serían aquellos individuos burdos y zafios, gesticulantes, alucinados que, con insospechada energía, remaban y convergían hacia la playa?
alguien había proferido un grito de alarma
los albaneses!!
y el pánico cundió en el ámbito de la gente guapa y selecta, entre las parejas adormiladas por el calor estival y torpor de la siesta, las mamás habían acudido a buscar a sus niños y perros en la orilla, los varones improvisaban febriles conciliábulos sin saber qué resolución adoptar ante aquella si-

tuación de emergencia, hasta los bañeros y mozos del bar parecían anonadados, cómo enfrentarse y detener la flotilla de botes atestados y braceadores que se aproximaba a la playa en cardumen?, la dirección del establecimiento no había previsto tal eventualidad y carecía incluso de armas de fuego!, la prudencia aconsejaba la retirada y algunos mafiosi más duchos en el capeo de esa clase de apuros se precipitaban ya a la salida con sus familias y bienes resueltos a ponerse y ponerlos a salvo de la inconcebible marea de bárbaros mientras la mayoría de clientes aguardaba con borreguil fatalismo la llegada masiva de los galeotes, esos hombrecillos desgreñados de pantalones raídos o calzones sujetos a media pierna que acentuaban a cada movimiento de remos la precisión de sus pechos entecos y costillares flacos, cejas espesas, rostros barbados, ojos candentes de inextinguible fulgor
algunos no habían podido resistir la imantación de la nueva Judea y se zambullían desde los botes para alcanzar más pronto la orilla, nadaban de modo estrepitoso y enérgico, con sus cabezas flotadoras cada vez más próximas, alentados por unos sentimientos de calor y amistad hacia los paladines del bienestar y la libre empresa, iguales, igualitos, a los que habían contemplado hipnotizados en la publicidad televisiva y los seriales ambientados en Texas, el paraíso, el paraíso al fin, tangible y concreto!
el primer llegado había besado la arena en acto de fervoroso homenaje a una tierra acogedora y fraterna, se había hincado de rodillas ante una mamá joven y la requebraba o bendecía en su trabada lengua, intentaba ganarse su agrado y benevolencia, miraba con ojos amorosos a la primorosa criatura que cargaba en brazos y, sin desanimarse por su estatuaria frialdad, quería congraciarse con el perrito faldero, pequinés furibundo encarado con saña al intruso, sabedor gracias a una educación esmerada que no pertenecía ni por asomo a la clase del ama y carecía del imprescindible caché

de una gran fortuna o prestigio, paulatinamente frenético por la insistencia del arrodillado individuo en agasajarle con castañetas y mimos, erizado y rugiente, mostrando con ferocidad sus caninos, en una auténtica crisis de histeria que el recién venido no comprendía ni podía comprender desde su embeleso, aturdido, feliz, sonriente, patético, implorando brazos en cruz un gesto de simpatía, con los ojos de brasa clavados en el bañador triangular de la diosa de piedra, en su gruta o santuario velados de modo disuasorio y preciso
la playa se había llenado de albaneses de ropas empapadas y rostros hircinos, algunos sonreían y besaban el suelo, se acercaban a las horrorizadas familias y buscaban una relación tangencial, semiológica, con niños y perros, incapaces de captar en su euforia el ceño adusto y mirada reprobadora de aquellos cuerpos bien alimentados y esbeltos, consumidores del número exacto de proteínas correspondiente a su altura y peso, sorprendidos por la fuga precipitada de los más avispados y los insultos y voces del personal playero, impotente y desbordado por ellos, una situación incontrolable y a todas luces explosiva, una calamidad, farfullaban, verdaderamente inaudita
cuándo llegarían las fuerzas del orden, prevenidas telefónicamente por el dueño?
los bañistas aguzaban el oído a la escucha de las sirenas y respiraron de alivio en cuanto éstas adquirieron un concierto y volumen ensordecedores, aquello era una invasión, ni más ni menos que una invasión y el Estado debía adoptar de inmediato medidas defensivas, proteger a sus ciudadanos, apriscar, detener y expulsar a la chusma de desharrapados, para eso estaban las leyes y estatutos del ámbito comunitario o es que sólo eran papel mojado y los dictaban para hacer bonito?
(el hombre que se desgañitaba era un respetable exportador

de armas enriquecido con la providencial explosión de las crisis balcánicas)

pero los albaneses no parecían percatarse del peligro e insistían en sus vanos intentos de confraternización con familias, mamás, niñitos y perros, sonreían bobaliconamente a quienes increpaban su incivilizada conducta, gesticulaban, dirigían miradas de implorante deseo al mostrador repleto de refrescos y bocadillos, llevaban tres días sometidos a una mísera dieta, reclamaban con la vista comida y asistencia sin atreverse a rozar ni con la punta de los dedos el tentador surtido del establecimiento, suplicando a lo sumo, con ademanes expresivos y humildes, un vaso de agua con el que calmar la sed que les consumía

la irrupción de policías con cachiporras y cascos les dejó literalmente pasmados

venían a hacerse cargo de ellos y conducirlos a los centros de acogida y ayuda dispuestos para los refugiados?

algunos habían acudido a su encuentro con los brazos abiertos, pero el rostro severo y rigidez de los uniformados les habían hecho desistir de su empeño y mantenerse agrupados a raya con visible desconcierto, querían explicar su odisea y apuntaban con el dedo al transatlántico en el que habían viajado hacinados desde el país de los ídolos y falsos profetas, despotricaban al parecer del comunismo y exhibían medallones con la efigie del León del Desierto, confundían tal vez la costa adriática con los ranchos de Dallas, sus nociones geográficas eran oscuras, uno se había sacado del calzoncillo la fotocopia mojada de un dólar y repetía un casi indescifrable God bless America!

con gran alivio de los presentes se dejaron conducir mansamente a los camiones, los policías y militares habían renunciado al uso de la fuerza y les hacían formar en hileras para escoltarles al área de estacionamiento a la que convergían zumbadores vehículos del ejército, calma, un poco de calma!, requería un traductor con ayuda de una bocina, pronto dispondrían de techo y comida, obtendrían el estatuto de refugiados, gozarían del derecho de alcanzar con su diligencia y trabajo cuantos bienes acababan de vislumbrar en la playa selecta, podrían pedir visados e instalarse en Texas, promesas dulces, de miel rosada, con las que les embaían y apaciguaban

los más desconfiados y astutos habían pretendido escaquearse y huir, pero bañeros y paterfamilias envalentonados les asían por sus prendas raídas y retenían con furia hasta la llegada de los agentes

únicamente el archiduque se interesaba por ellos, había arropado sus carnes abundosas y fofas con un suntuoso albornoz de imperial charretera y atraía a dos de los mozos, no por magros menos bien trabados, al santuario de su caseta, que nadie me toque a éstos, advertía, son míos ya y van a consagrarse desde hoy a mi servicio egregio, mientras los cubría con el manto del poder y miraba golosamente sus humedecidas bragaduras, como tratando de calibrar a ojo sus atributos, el volumen normal y capacidad expansiva de sus vergas

un travelín magistral de las hileras de albaneses custodiados por policías y soldados hacia los camiones y furgonetas mostraba aún caras sonrientes y exhaustas, manos trazando irrisorias uves de victoria, damas maduras con sus pomos de sales, bañeros maldicentes, perritos falderos al borde del paroxismo, juveniles mamás retrospectivamente excitadas por la aventura hasta centrarse, con morosidad calculada, en el trío compuesto por el archiduque y sus protegidos

primer plano final de un rostro mofletudo y seráfico, de ojos globulosos y azules, que se relame y guiña a la cámara como una pizpireta y retozona Betty Boop.

Vaya confusión! Secuencias entreveradas de un filme de Fellini y el reportaje en directo, desde el puerto de Bari, de un ferry atestado de fugitivos albaneses!
el zapeo convulsivo de Tussy, su inveterada manía de teclear el programador a distancia, mezclaba imágenes, barajaba planos, pasaba del sofisticado transatlántico reconstruido en los estudios de Cinecittà al herrumbroso y maltrecho transbordador de jubilosa y exultante carga humana, Jenny había intentado razonarla como de costumbre, decídete de una vez por favor, así no dejas ver una cosa ni otra! pero Tussy no se daba por enterada, enmurada en el silencio hostil de la pubertad o de un misterioso desengaño personal, con su cara de brezo y expresión de voluntaria ausencia
(cómo quieres que ría en semejante mundo?, había dicho la víspera con un gesto de desdén en respuesta a los reproches cariñosos de su madre)
no había más remedio que armarse de paciencia y aguardar a que pasara el chubasco, ni Jennychen ni Laura ni su propio padre conseguían arrancarla a aquella infranqueable mudez, al recelo espinoso de cuanto la rodeaba
la llegada de Moro no resolvió el problema, Tussy no había podido eludir el beso paterno pero se escabulló inmediatamente de la pieza y salió sin despedirse a la calle mientras él depositaba sus obras de consulta sobre un rimero de manuscritos y se dejaba caer con ademán de infinito cansancio en el sillón ocupado por ella minutos antes, delicadamente se abstuvo de preguntar por la cena, la fiel Lenchen se agitaba como siempre en la cocina y el olor a coles hervidas
(concibió la esperanza efímera de un apetitoso chucrut)
empezaba a invadir la casa
has trabajado bien? (Jenny)
como siempre
(manifiestamente, la reserva y esquivez de Tussy le contrariaban

evocaba aún la época en la que la llevaba a hombros y ella le ponía flores en el pelo y decía extasiada, corre, corre, caballito, llévame contigo al parque?)
Jenny se había adueñado al fin del programador a distancia y pulsó el botón de su canal informativo favorito
(Lenchen hizo una breve y discreta aparición
faltaría algo?
cuchicheó al oído de Jenny y ésta sacó del monedero y le entregó una moneda de dos peniques)
mira! los desertores del paraíso!
(lo decía exprofeso, sabiendo que desde hacía meses se refugiaba en la soledad de sus libros y evitaba en lo posible los reportajes exultantes de la televisión y titulares aulladores de los diarios?)
la cámara ofrecía un plano general del puerto, con centenares de hombres hacinados en los muelles, bullendo y agitándose bajo un sol implacable
la mayoría vestía un simple calzoncillo y se cubría la cabeza con un trapo o pañuelo, algunos presentaban un pintoresco aspecto de piratas con sus vendas caídas hasta las cejas y barbas cerradas, los habían apresado allí por engaño después de haber entretenido sus esperanzas con promesas de asilo y visados, se hallaban cercados por un cordón de militares armados hasta los dientes y varios helicópteros giraban sobre ellos en vuelo rasante con objeto de intimidarles, el sueño largamente acariciado se había desvanecido por la acción combinada del Grupo Especial de Operaciones y los altavoces de ladradoras consignas, les habían despojado uno a uno de sus navajas, cucharillas, tijeras y de cuantos objetos pudieran considerarse ofensivos y aguardaban desde hacía días el maldito transbordador que debía devolverles al punto de partida tras su aventura frustrada en medio del estruendo de las hélices y su propio y enronquecedor vocerío, les arrojaban de vez en cuando vituallas y bidones de agua origi-

nando cada vez peleas y arrebatamientos, sólo los más fuertes y ágiles se apoderaban del magro botín y los más permanecían sudorosos y hambrientos, reventando de pena y lágrimas, otros parecían atontados y vagaban sin rumbo con extraviada sonrisa, esbozaban inútiles ademanes de súplica, meaban o defecaban indiferentes a las protestas de los vecinos, el clamor de la encerrona aumentaba de hora en hora con el calor, peste y riñas provocadas por la distribución de comida, el filme reproducía los arranques de desesperación de quienes se arriesgaban a pedir explicaciones a los guardias
por qué nos tratan así?, no somos seres como los demás?, he visto en la televisión que dan de comer a sus gatos con cucharitas de plata!
cuerpos y cuerpos chupados, quemados y agrietados por el sol, de mirada ciega y órbitas hundidas, movimientos de animales salvajes y acorralados, sin resignarse aún a lo inevitable, a la inflexible ley que los excluía, como judíos o bosnios destinados a algún futuro holocausto, viejas historias del Mediterráneo fértil en persecuciones, matanzas, dogmas fanáticos y opresivos, expulsiones masivas cuidadosamente planeadas, Mediterráneo!, Mediterráneo!, gran madre universal, semilla y cuna de la civilización!, patrón de la belleza y el arte clásicos!, crisol de culturas!, y no obstante ajeno y cruel, Mare Vostrum, ámbito de guerras, cruzadas, exterminio de poblaciones enteras, espadas rematadas en cruces, bendición eclesiástica a caudillos de manos sangrientas, tiranos divinizados en estatuas y libros, espulgadores de linajes y limpiezas étnicas, todo ese magma de horror y basura acumulado en su cuenca durante siglos y siglos!
(quién habría soltado el discurso?)
y la cámara reproducía en planos breves, a ráfagas, el muelle cubierto de mierda, papeles, residuos diversos, bolsas de Cáritas mientras los últimos invasores eran embarcados

en el transbordador a la fuerza, llevados a rastras o en volandas hasta la pasadera, corridos, exhaustos, rabiosos, clamando venganza, abatidos o exigiendo un billete para Dallas, en cumplimiento de la fría y calculada resolución de los representantes de esa sociedad entrevista por ellos bajo los toldos y en las colchonetas de la playa selecta, paraíso de cuerpos bien alimentados y atléticos, mamás de pechos audaces y erectos, perros y niños juguetones, toda la abundancia y exquisitez de dioses que, agarrados a la baranda del ferry, contemplan, contemplan aún con hipnotizada fijeza, sofocados de dolor, con la vista nublada

como decía el presentador del programa, a quién diablos le importaba las lágrimas de un albanés y su retorno forzado a los escombros de su demencial utopía?

para lavarse la conciencia y manifestar su pesar por aquella rigurosa pero necesaria operación profiláctica, iban a contratar también a todos los divos y divas de La Scala a fin de que consolaran con su arte a los abrumados pasajeros del transbordador?

Tussy no estaba allí para pulsar el botón y regalar su vista y oído con la versión felliniana de la segunda escena del tercer acto de *Nabucco*

Oh, mia patria sì bella e perduta!
Oh, remembranza sì cara e fatal!

la ilustre pareja de exiliados de Tréveris guardaba silencio con la mirada perdida en las postreras imágenes del ferry y la pantalla ya ciega del televisor

Aquello se llamaba llover sobre mojado!

desde hacía meses, primero con sorpresa, luego con bochorno, por fin con consternación habían asistido a través de

la pantalla del televisor y titulares de la prensa exhibida en quioscos al desmantelamiento de los sistemas supuestamente fundados en su pensamiento, la caída de muros y atalayas de vigilancia, explosiones de júbilo de quienes los pontífices de la intelligentzia londinense definían como cobayas de su laboratorio siniestro, a la pasmosa metamorfosis de empedernidos doctrinarios en traficantes y beneficiarios de la panacea universal de la privatización
a punto comenzó la quema de sus retratos y efigies, el derribo clamoroso de estatuas
las sujetaban con cables a los mismos tractores que años atrás simbolizaban en los cuadros y frescos murales de mieses y campesinos las victorias fulgurantes del socialismo y, tras una larga espera, destinada a permitir a los voluntarios la socava de los fundamentos del pedestal, las tumbaban con todo el peso de la plúmbea y gigantesca mole en medio de los vítores del gentío
con treinta y pico de años de retraso, la Trimurti del socialismo científico corría la misma suerte que su astuto y bigotudo descendiente!
no les llamaban ya, irónicamente, la Banda de los Cuatro?
(hasta un periodista chusco había alcanzado momentánea notoriedad denominando a Engels «la nueva viuda de Mao»
ese día, Laura no pudo contener la cólera, rompió en sollozos y salió de la habitación dando un portazo)
dónde quedaba el dies irae que desbarataría por entero la industria europea, asfixiaría sus mercados, arruinaría a las clases poseedoras, ocasionaría la bancarrota total de la burguesía?
la brusca aceleración de la historia, no se había producido irónicamente contra él?
si el comunismo debía ser la última fase de la epopeya humana, el materialismo era justo y la doctrina del valor trabajo ocultaba astutamente la del grado final de utilidad, cómo explicar el increíble y brutal salto atrás?

de qué modo interpretar, a la luz de lo ocurrido, lo del arma de la crítica no puede reemplazar la crítica de las armas, la fuerza material debe ser aplastada por la fuerza material, pero la teoría se transforma también en fuerza material en cuanto se adueña de las masas?
la aplicación perversa y torcida de sus doctrinas para restaurar la idolatría zarista y los atributos de poder más odiosos del viejo despotismo asiático le había obligado a callar durante décadas, embalsamado en vida por quienes habían suprimido la cruel explotación de la burguesía y gobernaban en nombre de la ciencia y pensamiento correcto
qué podía hacer él, el miserable exiliado de Dean Street, contra la omnímoda máquina autoritaria y la fuerza propagandística de una superpotencia?
Jenny, que había soportado estoicamente todos los apuros y precariedad de su existencia nomádica, podría aguantar por contera el descrédito de su sistema y pérdida de su status?
como proclamaban a coro los heraldos del libre mercado, su obra era ya un amasijo de ruinas y ningún baratero se brindaba a adquirirla a saldo!

Como el día en el que irrumpió en los aposentos del obispo Policarpo, entonando un himno sacro con bella voz de bajo a fin de convencerle de su apego a los viejos ritos, dejarse catequizar humildemente por él y convertirlo poco a poco, a medida que ganaba su confianza, a las razones de su causa, la espontaneidad destructivo-creadora de las masas así había aparecido por la última puerta del último vagón del convoy del metro de la línea 4, la de la Porte de Clignancourt a la Porte d'Orléans, desde el andén de la Gare du Nord, pasadas las prisas, apretujamiento y codazos de las horas punta, cuando los usuarios, dispersos en los asientos, leían el periódico, consultaban la lista de los caballos favoritos de las carreras de la tarde, resolvían crucigramas, miraban el suelo o se observaban entre sí con neutralidad bovina, con la altura con la que siempre se imponía a la asistencia aumentada ahora por el sombrero de copa, el impecable cilindro de felpa negra elegantemente dispuesto sobre la llamativa cabellera, la cascada de bucles sabiamente orquestada en leonina y vibrante partitura romántica, ciñendo su rostro burlón de consumado tribuno o actor, de pupilas astutas, traviesas

(con ese brillo trémulo del rayo de luz que hiere el ojo del hontanar en la umbría, realzado aun en la órbita izquierda por un monóculo de oficial prusiano en cuya superficie las luces del vagón misteriosamente rielaban)

sus rasgos enérgicos, de tosquedad fingida, del habituado a encrespar los fervores del ágora, prótesis dental ajustada y nívea, mentón y sotabarba contenidos por blanco cuello de pajarita, pechera almidonada, levita abierta sobre chaleco gris perla con botones incrustados de diamante y cadenillas de oro similares a las de los burgueses benefactores de las pinturas neerlandesas, cóncavo vientre de indisimulada prepotencia, faldones largos de solemne duelo o funeral tristeza, pantalones oscuros de impecable raya, botines, en fin, lustrosos y acharolados, predisponían al nirvana mental y anonadamiento contemplativo

sus manos grandes, velludas, pulidas con esmero por manicuras, lucían sortijas de oro con descuidada volubilidad

señoras y señores!

(se aclaró la garganta)

permítanme que me presente ante ustedes en pocas palabras!

(se demoró unos instantes, para asegurarse de que las miradas de todos los usuarios convergían en su persona)

soy el amo de una poderosísima multinacional

(pausa)
rico, muy rico
(pausa)
inmensamente rico
(nueva pausa y suspiro)
poseo latifundios y ranchos en diversos estados de Norteamérica, inmuebles y apartamentos en Nueva York, Roma y Buenos Aires, palacetes de veraneo en Montecarlo, Capri y Marbella, una flotilla personal de aviones y yates, soy socio de magnates libaneses y petrojeques árabes, dirijo consorcios y holdings asentados en remotos paraísos fiscales, compro y vendo en la bolsa y especulo en el mercado negro, soy maestro en el trato de influencias, fuga de capitales y evasión de impuestos, blanqueo el dinero de mis amigos traficantes, suministro armamento a croatas y serbios, tamules y cingaleses, kurdos y armenios, aprovecho la mano de obra sumisa y barata para crear empresas rentables en los países del Necio Mundo y, desde el desplome de este sistema detestable forjado en la URSS y países satélites conforme a las normas de mi mortal enemigo, soy el gran promotor de la libre empresa en sus arruinados dominios y compro a precios de saldo ferrocarriles, periódicos, fábricas, ciudades enteras con la misma facilidad y provecho que ese personaje de actividades múltiples e intereses diversos, capaz de fumarse un cigarro de contrabando en las mismas narices de los aduaneros, retratado por mi buenísimo e ilustrado amigo Mr. Dickens!
(mientras recorría con la vista el hipnotizado auditorio del vagón, comprobó que nadie se apeaba en la siguiente parada, como si los usuarios hubiesen olvidado al unísono su punto de destino
nuevos pasajeros entraban en él y engrosaban en cada estación el número recogido y silente de los admirativos)
establecer la lista completa de mis bienes sería enojoso e in-

terminable, la última edición del *Who's who* me dedica un apartado especial de una veintena de páginas y en la coyuntura actual del mercado, abierta a toda clase de iniciativas, mi caudal, señoras y señores, crece de día en día!
(se sacó un pañuelo de lino del bolsillo para enjugarse el sudor y aguardó a que se cerraran las puertas del convoy)
pero no me basta!
(el vagón había acogido a nuevos y abigarrados viajeros en Strasbourg Saint-Denis y los examinaba con aire satisfecho)
no, no me basta!
(había dejado de hablar, gritaba)
no me importa saber que la renta global de mis bienes me procura seiscientos dólares por minuto!, soy voraz, necesito más!, el afán de cuanto no poseo me atormenta noche y día, por eso he venido aquí, a solicitarles ayuda para ser todavía más rico, quien disponga de cien francos, cien francos!, el que sólo tenga cinco, pues cinco!, un rasgo de generosidad, por pequeño que sea, aumentará mi capital y aliviará momentáneamente mi avidez omnívora!
(se detuvo a contemplar el efecto de sus palabras, en busca de aplauso y aprobación, pero todos parecían seguir una cura de mesmerismo y permanecían pasmados y rígidos)
cooperen con orgullo y entusiasmo a hacerme más adinerado de lo que soy!, deposíten su óbolo en mi mano tendida y fraterna!, de preferencia billetes y si no monedas, cualquier cantidad, incluso modesta, contribuirá, ya fuere en una billonésima, a afianzar mi presencia en el Olimpo de Cresos adorados en sus revistas, no se finjan sordos, ciegos ni mudos, no se me escabullan!, piensen en que su don repercutirá en la gloria de mi persona y, de reflejo, en la suya, mírenme directamente a los ojos!, si su situación personal no es boyante me contento con la ofrenda más mínima!, imiten a este honesto inmigrado africano que colabora humildemente a mi esplendor con un simbólico franco!, hagan como

él, señoras y señores, denme el billete o pieza mayores de su monedero o cartera!, aunque los tiempos sean duros y el porvenir incierto, rásquense bien el fondo de los bolsillos!

Se lo había contado, de vuelta a Argenteuil, una vecina de Jennychen, viajaba en el mismo vagón y se apeó con él en el andén de Châtelet, no tenía nada preciso que hacer y le siguió por corredores, escaleras mecánicas y pasillos rodantes a prudente distancia, su alta y llamativa figura atraía las miradas, saludaba a los usuarios que avanzaban en sentido inverso con obsequiosos toques de sombrero y gesticulaciones atrapavotos de candidato, gozaba de la sorpresa y admiración, a todas luces se divertía, se había sacado medallas y condecoraciones del bolsillo como un prestidigitador y se adornaba con ellas las solapas del frac, de vez en cuando entonaba arias de ópera, no sólo de su compatriota Mussorgski sino también de Verdi y Bizet, al desembarcar en el andén de la línea 1, dirección Vincennes, había topado con un grupo numeroso de paquistaneses e hindús y se abocó a ellos entonando el aria de *Nabucco* con todo el dramatismo y gallardía que imponía la circunstancia, Va, pensiero, sulle ali dorate, denuncia solemne de la opresión, elogio encendido de la libertad, himno de esperanza luminosa y salvífica, mientras pasaba el platillo y les despojaba de sus mezquinas economías, prorrumpía en burlonas carcajadas y se despedía de ellos, al subir al vagón del recién llegado convoy, con un tajante y definitivo corte de mangas
un corte de mangas? (Jennychen)
sí, sí, lo que oyes, todo era una provocación, repitió su discurso en el vagón coloreándolo de nuevas y odiosas fanfa-

rronadas, explotación del trabajo infantil, trata de blancas, recepciones suntuosas de la jet-set, amistades con toda la gente guapa, sus aventuras de caballero andante de la especulación, paladín de la empresa libre de trabas, la multitud le escuchaba alucinada, en denso y electrizado silencio, como a un dios o demiurgo condescendientemente bajado del cielo, sublime de toda sublimidad, dueño de sus vidas y haciendas, les pedía dinero, todo su dinero a fin de enriquecerse aún, chupar unas goticas más de su sangre, todos debían enorgullecerse de su condición de donantes, de participar con su peculio en tan embriagadora empresa, él les prometía la Gracia, su Gracia, una mirífica recompensa ultraterrena, exhibiendo por turno sus dones políglotos, prodigando bendiciones en media docena de lenguas, sonsacando con mieles cardenalicias los ahorros de los más remisos y suspicaces, no era fácil resumir su discurso, emitía un veloz remolino de palabras, latines, plegarias, jaculatorias intercaladas de breves silencios, parecía aguardar una salva de aplausos y apuntaba a imaginarios enemigos con el dedo, el Bundesbank había demolido el edificio del portavoz del proletariado y los yuppies de Chicago ocupaban los últimos bastiones de la engañosa doctrina, era el retorno a las sabias leyes de la naturaleza, al poder de los más hábiles, astutos y fuertes, al homo homini lupus!, y cuando se disponía a bajar del vagón, con el fruto de la sustanciosa colecta, desplegaba de súbito, como traca final, la feroz pancarta de despedida

HAY QUE CONSAGRAR TODOS LOS MEDIOS
A AGRAVAR Y EXTENDER LOS SUFRIMIENTOS
Y MISERIAS QUE DEBEN EMPUJAR A LOS
PUEBLOS A UNA SUBLEVACIÓN GENERAL

estaba segura de la cita? (Jennychen)

sí, claro que sí, había tomado la precaución de anotarla mientras corría tras él por el laberinto subterráneo de desniveles y cruces del metro de Bastille

entonces era él, no cabe la menor duda de que era él, con sus eternos juegos conspirativos a lo Weitling, Gottschalk, Willich, carbonarios, proudhonianos, blanquistas! (Jennychen)
espera, deja que te cuente, aún no te he dicho todo, lo que sigue es realmente increíble, se fue a los lavabos y salió al cabo de un rato transformado, como si un cómplice se hubiera hecho cargo allí de su vestimenta y le hubiera procurado una nueva, la de un payaso disfrazado de divo de ópera, con gorro de pluma, jubón, capa de marta cibelina y botas a media pierna, ahora cantaba a toda voz, acompañado de la música grabada en un oculto magnetofón

Oh, sorgete angosciati fratelli,
sul mio labbro favella il Signor!
Del futuro nel buio discerno...
ecco rotta l'indigna catena!
Piomba già sulla perfida arena
del leone di Giuda il furor!

y, al término de la parrafada heroica, rodeado como siempre de un público embelesado y cautivo, sacó en un centelleo un carné de inspector de policía y procedió a la identificación de los metecos, a ver, vuestros documentos!, empleaba un tuteo vulgar y agresivo, con el odio del recién naturalizado que se venga de su propio pasado y se regodea en humillar a sus hermanos de desdicha, la tarjeta de residencia, permiso de trabajo, boletín salarial, factura reciente del alquiler, gas o electricidad que prueben que no os habéis mudado de domicilio!, tú, chaval! desde cuándo has venido a robar el trabajo a la gente honrada de este país?, tú, sí, Charles Martel, el Bembudo, todo en regla?, bien, muy bien, pero no te confíes ni creas que nuestra paciencia será eterna, el pueblo no aguanta ya vuestra invasión, la hospitalidad tiene sus límites!, y por uno que dejaba pasar a regañadientes o con aires perdonavidas, acorralaba a media docena con

el silbato, vosotros, los morenos!, de cara a la pared y manos arriba!, os voy a cachear hasta los güevos y decomisar navajas y jeringuillas! estamos hasta los cojones de vagos, sidosos y camellos!, vuestra multiplicación es un estigma para un país decente y civilizado!, habéis abusado de nuestra buena fe!, sois unos miserables parásitos!
Y aunque ella le había dejado allí, en medio de un gentío que acogía sus palabras sin protestar, tal vez con cómplice asentimiento, asqueada de lo soez y obsceno del espectáculo, algunos conocidos la habían informado más tarde de sus provocaciones sucesivas en République, vestido de zulú, amenazando a las muchachas con una especie de totem fálico, y en la Gare de l'Est, disfrazado de Juana de Arco, un individuo con turbante, gemía, había intentado violarla, y otra vez en Barbès, Pigalle, Saint-Lazare, con nuevos atuendos y discursos incendiarios, excitando las pasiones de la plebe para provocar el chispazo, lo que nuestros camaradas denominaban hace treinta años el salto cualitativo, ultrarrevolucionario en la forma pero reaccionario en su contenido, uno de esos juegos del aristócrata sibarita que siempre ha sido, aprovechándose del actual vacío de valores y nuestro pasajero descrédito para promover su utópica acracia y pescar en río revuelto!

Cuando llegó a casa, después de haber pasado el día en el Museo Británico, tomando notas, sumido en un océano de libros, la familia no hablaba sino de aquello, de las andanzas y burlas del Caballero del Metro, Jenny se había refugiado en el dormitorio en donde se apilaban sus diarios y manuscritos, junto a la mesa cubierta de tazas de té con los bordes mellados, cucharillas sucias, tinteros, candelabros, pipas holandesas, ceniceros repletos de colillas

(la fiel Lenchen había ido a comprar de fiado al codicioso tendero de la esquina)
se reposaba en el desvencijado sillón tras haberle zurcido los calcetines, los tomates de sus calcetines, los únicos tomates que, como decía a veces con humor, nunca faltaban en casa, se dejó besar en la frente y mejillas sin perder un ápice de su compostura, protectora y materna como una gallina clueca que vigila con el rabillo del ojo el ajetreo piante de sus polluelos, sorbe de pronto un buche de té, picotea las migajas de un pastel como granitos de alpiste
has oído?
(le examinaba fresca y oronda por encima de sus gafas, ovillada en la certeza de alguna intuición o descubrimiento, de haber dado en el quid del asunto, como si acabara de poner un huevo)
alguien ha metido un virus en tu sistema de pensamiento!
(hablaba con lentitud, como saboreando el efecto de sus palabras
manifiestamente llevaba rumiando el tema desde que Jennychen, acalorada, había vuelto a casa con el cuento)
una operación de sabotaje perfectamente sincronizada!
(le concedió un minuto de tregua, para que llenara la cazoleta de la pipa con el tabaco recién llegado de Manchester)
lo cierto es que ha dejado de funcionar de golpe y en todos sitios! a qué causa atribuir un fallo tan extraordinario sino a la intrusión de un virus informático?
tal vez como mera hipótesis de trabajo
(ella le interrumpió)
tu sistema es científico, pertenece al dominio de las ciencias cognoscibles como las matemáticas o la física, yo misma, como buena secretaria, lo he copiado al pasar en limpio tus manuscritos!
la formulación no es exacta, pero
no hablo de frases sino de ideas! durante décadas ha sido

el punto de referencia de los gobiernos de casi medio mundo y de pronto, sin razón alguna, parece haberse bloqueado como esas calculadoras electrónicas capaces de efectuar las operaciones más abstrusas cuando alguien las desprograma!
(se detuvo, modesta y triunfante, ahuecando las plumas del cuello, como guareciendo la idea con las alas)
si nos movemos en el campo de la ciencia no hay otra explicación, a menos que
(alzó la frente, mirándole fijamente, después de sorber unos buches de té en la taza desportillada)
no pretendas ahora, como los profetas que tanto zaherías, que escuchaste una voz divina, que tu doctrina es Palabra Revelada!
(la fiel Lenchen regresó con el cesto de la compra a punto para mitigar la tensión, el tendero le había fiado aún, tenían una vez más la cena asegurada)
ellos disfrutan siempre del privilegio del misterio y, cuando los crees muertos, resucitan tan frescos, con mayor lozanía que en el tiempo en que los filósofos los enterraron, pero tú actúas sin red, tu doctrina rehúsa la trascendencia y debe probar en la práctica si es verdadera o falsa!
(los cacareos de júbilo en la pieza vecina les interrumpieron, la fiel Lenchen mostraba sus tesoros a Tussy y a Laura)
no me cabe la menor duda, alguien ha paralizado el sistema creado por tu pensamiento! ha infiltrado astutamente en sus premisas un veneno mortal!
quién diablos quieres que sea?
(ella sorbió un nuevo buche de té)
quien otro sino Él? no te has enterado de sus provocaciones y payasadas parisienses en los vagones y cruces del metro?, imita a Koppen y a Bruno Bauer con su stirnerianismo proudhoniano, se está vengando de más de un siglo de fracasos con actos de anarquía individualista radical e inofensiva, de

su laboriosa inactividad a la espera de una Revolución a la vuelta de la esquina, de haber asomado la nariz en Petersburgo, Barcelona y las barricadas del Barrio Latino sin lograr incidir en el curso de los hechos a pesar de su demagogia y palabrería, pero su juego ahora es infinitamente más dañino y perverso!
(calló, con énfasis calculado, para dejar vagar el fantasma de una conspiración secreta, nefasta)
alguien
la policía zarista?
(ella no hizo el menor caso de su irónica interrupción)
le ha facilitado el acceso al programador central de tu doctrina!, cálculos de economistas y sociólogos, planes quinquenales, bancos de datos habían sufrido un misterioso contagio, el circuito de ordenadores del sistema parecían haber enloquecido, toda la obra de su vida se venía abajo!
Moro prefirió encender la pipa, dar la callada por respuesta, dejarla fantasear
(los polluelos se habían refugiado bajo las alas de la clueca como su propia madre y amigas burguesas de Tréveris, irían a reprocharle en coro la escritura improductiva de *El Capital*?)

Mercadillo ideológico!
el tráfico había empezado en la Puerta de Brandeburgo, en la explanada frontera a los primeros edificios vetustos de la vacía y decrépita Unter den Linden
(antigua tierra de nadie atisbada antes por curiosos y visitantes desde las atalayas expresamente erigidas como finisterres del mundo libre)
cuando a un grupo de punkis se le ocurrió la idea de vender

a los coleccionistas de recuerdos fragmentos del muro recién demolido con inscripciones esotéricas y pintadas libertarias en un babel de lenguas, todo viajero partía con un pedazo, reliquia del difunto sistema, para regresar con él a Tokio, Madrid, México o Filadelfia y conservarlo en una vitrina como las familias católicas y pudientes del XIX guardaban en joyeros y estuches de terciopelo una astilla de la Vera Cruz y aun un buen cacho de ella, milagro multiplicador semejante al de los panes y peces del que los alternativos y okupas sacaban igualmente partido, seguidos pronto por individuos de más dudoso origen, rutenos, zíngaros, moldavos, lituanos, con abigarrados muestrarios expuestos en mesillas o contenedoras fundas de plástico

fotografías y bustos de la pareja creadora del socialismo científico, de Vladimir Ilich y el bonachón Padrecito de los Pueblos

guerreras, cintos, estrellas, del glorioso e invicto Ejército Rojo

condecoraciones militares en venta o cambalache

medallas concedidas a heroínas y a héroes del Trabajo

sputniks de latón

insignias con el rostro de Gagarín

dibujos representativos del realismo impuesto por Zdanov

ilustraciones de Planes Quinquenales

obreras y obreros sonrientes de un recién inaugurado complejo petroquímico

láminas de escuelas rurales en las que niñas y niños rollizos se embeben de los sanos principios del materialismo dialéctico

koljosianos dichosos a quienes nadie roba la plusvalía

hagiografías de pioneros al asalto de nuevas y portentosas metas

toda una heteróclita mercancía vestigio del desplomado imperio, de las ruinas patéticas de su ideología
a espaldas de él
(absorto como siempre en sus notas y consultas en la sala de lectura del Museo Británico)
Jenny había presenciado abrumada, sin más compañía que la de la fiel Lenchen, la aparición de manifestantes en el centro de Moscú blandiendo las águilas bicéfalas del zarismo mientras en la plaza contigua al Bolschoi jóvenes iracundos sustituían la última palabra del «Proletarios de todos los países, uníos!», grabada en la peana del busto del marido, con un humillante «perdonadme»!
aquello era sólo el comienzo
luego, en días sucesivos, la televisión había transmitido en directo imágenes del mercadeo callejero de emblemas en Petersburgo, los saldos exhibidos en Sofia y Praga, el reportaje de dos enviados de Channel Four a los aledaños del Gran Bazar de Estambul, invadidos de repente por hordas foráneas
huían todos del futuro luminoso y prometedor?
eran miembros de las clases laboriosas definitivamente emancipadas?
(Lenchen se puso las gafas para ver mejor)
junto a viejos turcos acurrucados tras sus balanzas y un sufí anciano y barbudo salido con su flauta de una romántica estampa otomana, cáfilas de buscavidas y vendedores con la pobreza orgullosamente oculta en camisetas de reclamo de marcas prestigiosas, ofrecen servicios y bienes a la masa fluida de peatones
la cámara enfoca por turno
a limpiabotas rumanos de estrafalarios sombreros Bonnie and Clyde
(en su país eran médicos y abogados)
macedonios y bosnios con güisquis de inquietante procedencia balcánica

(huían de las matanzas y limpiezas étnicas programadas?)
ucranios, rusos, abjasos, con ordenadores primitivos, toscas e inservibles máquinas de retratar, relojes de pulsera made en la URSS, despertadores gigantes concebidos para poner en pie de guerra a un regimiento entero de cosacos, teléfonos de altamente improbable comunicación, muñequitas preñadas y orondas, cerditos de plástico a todas luces repelentes en el ámbito islámico, rimeros de burdas y descoloridas corbatas que parecen fotocopiadas e inútiles incluso para estrangular con ellas al apparáchik de cuello más frágil, prismáticos de pacotilla, recuerdos sobados del Trío o Cuarteto fundador, textos capitales de su infalible doctrina, cachivaches y enseres de manifiesta futilidad
valacas rubioteñidas y en chándal que permiten vislumbrar a los viandantes los tesoros escondidos en sus bolsos, trabajosamente ganados, insinúa el comentarista, gracias a sus aún más escondidos tesoros en el ajetreo nocturno de los albergues y bares de Aksaray y Kumpaki
en el foso que rodea la universidad
(en la que años atrás un aguerrido grupo de profesores había defendido contra viento y marea el corpus de ideas que debía redimir al proletariado de sus insoportables cadenas!)
alguien ha adosado latas vacías de Cola y Fanta al muro del recinto y alquila escopetas de aire comprimido a jóvenes que ejercitan en ellas su puntería desde el otro lado del parapeto, transformando el baluarte del saber en un grotesco real de feria
mozos investidos de la gloria portátil de un Levy Strauss (de California, no del Collège de France!)
anuncian en sus pechos y espaldas las nuevas luminarias de la cultura europea
Chanel
Saint-Laurent

Revlon
Hugo Boss
United Colors of Benetton!
el programa concluía con la imagen de un bufón (todavía él?) mimando los ademanes y gesticulaciones de un tribuno con calva y perilla a los acordes de la música de un jubilado gramófono de cuerda
sería posible?
lo era!
una versión bailable de la Internacional!
los pueblos que maldecían la doctrina liberadora no demostraban con todo, como susurraba Jenny al oído de la escandalizada Lenchen, que las formas económicas bajo las cuales los hombres producían, consumían y se relacionaban obedecían a la inevitable transformación de las circunstancias sociales e históricas predicha por Moro?

Consecuencia de su conversación con Jenny o de la visión fugaz de la afluencia de fieles a la sinagoga a su regreso del Museo Británico?
soñó en cualquier caso que levitaba en el cielo de los profetas de la religión de sus antepasados, rabinos célebres y profesores de escuelas talmúdicas antes del establecimiento de la rama paterna en Tréveris y abandono acomodaticio del judaísmo por su progenitor
(convertido en funcionario de Federico Guillermo III después de la atribución a Prusia del país renano, en el brete de renunciar a su oficio o credo, Hirshel Marx optó por el primero y se hizo bautizar en la Iglesia protestante con el nombre de Heinrich)
el espacio en el que discurría, leve, neblinoso, irreal, le evo-

caba el escenario de un gran teatro, su estricta educación laica no le permitía identificar correctamente los símbolos hebraicos, su padre no le había hablado jamás de ello y se sentía como un intruso entre los bienaventurados que le miraban de soslayo con aire severo y se apartaban prudentemente de él, cuidadosos de evitar su contacto
divisó la estrella de David, una copia del Arca de la Alianza, el candelabro de nueve brazos, el armario de madera labrada en donde guardaban la Tora, los dos rollos paralelos con la Palabra Revelada forrados de terciopelo y recamados de hilos de plata
multitud de rabinos y chantres, con sus prendas litúrgicas, gozaban de la eterna beatitud, los rostros serenos vueltos a oriente
figuraban entre ellos sus ancestros, los piadosísimos Josua Heschel Lvov y Josef Ben Gerson Cohen?
creyó reconocer, gracias al retrato colgado en el salón de la casa en donde había transcurrido su infancia, a su tío Samuel Marx, muerto cuando él contaba ocho años
tío Samuel le consideraba con desdén, qué haces aquí, parecía decirle con la mirada
al consagrarse desde fecha temprana al estudio de Rousseau, Voltaire, Newton, Leibnitz y Lessing, en menosprecio de la fe y tradición de los suyos, el joven Karl no se había excluido aposta del disfrute de la bienaventuranza?
en las esferas superiores del edén, distinguió en sus excelsos tronos o nubes a los grandes profetas de Israel, absortos en la contemplación de Adonai Yahvé, Supremo Creador de cielos y tierra
los nombres de Set, Enoch, Cainán, Noé, Nemrod, acudieron poco a poco a su memoria como un collar de ensartadas cuentas
cuando vislumbró a Abraham en lo alto de su soberbia atalaya aérea, el recuerdo del viaje a Egipto con Sara, el hijo

engendrado con la esclava Agar, el nacimiento de Isaac concebido a los cien años afloraron a la lumbre de su conciencia con nitidez y agudeza
una voz retumbante, como transmitida por altavoz o bocina, le sobresaltó
Abraham: qué veo? a quién descubren mis ojos? a ese seudo profeta que se burló de nuestro credo, calumnió al pueblo del Libro, predicó la liberación de la clase obrera de sus pesadas cadenas, prometió un futuro de paz y felicidad a los crédulos habitantes de la Tierra?, dime, no eres tú el primer hijo varón del abogado Hirshel Marx?
él: sí, lo soy
Abraham: no escribiste acaso que la religión constituía un amasijo de patrañas y fábulas, destinado a mantener al hombre en la ignorancia y perpetuar el dominio de las clases acaudaladas?
él: sí, eso dije
Abraham: echa un vistazo al mundo fabricado de acuerdo a tus teorías! desolación, miseria, corrupción, idolatría! a eso llamabas pomposamente «sacrificarse y trabajar por el bien de la humanidad»?
él: bueno, en realidad
Abraham: no intentes disculparte! has convertido la Tierra en infierno y tus adeptos no accederán al paraíso!, mira cómo destrozan tus estatuas con saña, queman tus libros emponzoñados, maldicen tus venenosas doctrinas!, tantos panfletos antirreligiosos de qué te han servido?, los templos de todos los credos están abarrotados de fieles! únicamente hallarás desiertas las cátedras de tu ideología científica!
(Sara, Agar y toda su progenie se agrupaban en torno al profeta y le examinaban desde arriba con viva desaprobación)
Abraham: tú que sostenías con tanta prestancia que éramos personajes míticos, qué dices ahora?, gozamos de la visión de Yahvé en la gloria mientras tu éxito y poder convocato-

rio se han desvanecido! no fuiste tú quien escribió que el dinero es nuestra auténtica religión en los *Deutsch-französische Jarhbücher?*
él: no sé con exactitud dónde se publicó esa cita
Abraham: te mostraré una fotocopia si quieres! tu odio al judaísmo no tenía límites, las palabras judiada y judehüelo cifraban el máximo insulto conforme a tu léxico! no recuerdas acaso que llamaste a tu amigo Lassalle judío negro, escribiste que la configuración de su cráneo y rizado de pelo probaban su descendencia de los africanos seguidores de Moisés durante la travesía de Egipto y la mezcla de alemán y judío, con base de negro, no podía sino producir un resultado funesto?
él: fue en un momento de cólera!, mi opinión posterior de él es enteramente distinta!
Abraham: tus libelos tocantes al apego del israelita a los bienes terrenos, lo de emanciparse del tráfico y el dinero es emanciparse del judaísmo con el que difamaste a nuestro pueblo han conducido a la postre a la humanidad entera al culto del Becerro de Oro tras setenta años de socialismo!
majestuoso, solemne, irradiante, embebido de luz sobrenatural, apuntó con un dedo afilado y translúcido a la ciudad china de Shenzen
Abraham: contempla la marejada humana, presa de frenesí, venida de todos los rincones de un país gobernado por tus secuaces, con la esperanza ilusoria de ser accionista! centenares de miles de ex maoístas atropellándose unos a otros como langostas u hormigas, contendiendo entre sí hasta la muerte no obstante los disparos y latigazos de la policía!, observa esos rostros ávidos, codiciosos, crispados, de mirada alucinada y fija en medio de los gritos, juramentos y ayes de los heridos, tanta ferocidad y porfía por la irrisoria esperanza de poder adquirir un bono bancario y hacerlo fructificar en la bolsa, de ser capitalista en cierne y emular a los

compatriotas fugitivos del comunismo!, tus recursos dialécticos y artimañas filosóficas no han podido impedir su adoración idolátrica del metal que tu aprovechado discípulo ruso soñaba en devaluar hasta el punto de construir con él los urinarios públicos!
se sintió de pronto impelido y zarandeado por la muchedumbre, sumido en el remolino humano, lamentos en idioma desconocido, voces, aullidos, que amplificaban su volumen, penetraban en la habitación, le sacudían de la modorra matinal después de una noche en vela consagrada a la revisión de sus manuscritos
(Engels, desde Manchester, le acuciaba obstinadamente a publicarlos)
sin necesidad de incorporarse del lecho, comprobó que el alboroto venía de la escalera
el carnicero y el dueño del comercio de verduras reclamaban el pago de facturas atrasadas, apremiaban como zorros hambrientos a la fiel Lenchen, juraban que no se moverían de allí hasta que se les abonara la deuda, amenazaban con denunciarles a su propietaria, volver con un ujier y adueñarse de sus enseres, arrojarles del piso, dejarlos en la indigencia más negra y desamparada
Moro avanzaba a tumbos por el pasillo, se detuvo a la entrada del minúsculo y raído salón
Jenny, su mujer, su confidente, la compañera de lucha, secretaria, copista, amiga en las horas de triunfo y desdicha, ofrecía su pecho llagado y sangriento al crío y lloraba en silencio
no encuentras otro modo de decirlo
se le fundió de golpe el corazón

Era aún el único filósofo vivo, como en la época en que su amigo Moses Hess lo definía así a Berthold Auerbach?
quién había desenmascarado en efecto el «auténtico» socialismo entonces en boga y demostrado que tal doctrina, presuntamente superior al comunismo «grosero» de las masas, constituía en verdad una papilla insípida, mezcla de propuestas tomadas de la filosofía alemana y de fórmulas mal digeridas que literatos-filántropos habían sacado de sus colegas de orillas del Sena sin comprender ni una erre de su sistema, simplemente embriagados con su seductora fraseología?
la voz entusiasta del orador inaugural del mitin vibraba en el pequeño local atestado de público
nuestro invitado, famoso ya en Alemania a pesar de su juventud, dará el tiro de gracia a la religión y filosofía medievales y oscurantistas pues aúna el espíritu más mordaz a la más honda reflexión política!
imaginen, señoras y señores, a Rousseau, Voltaire, Holbach, Lessing, Heine y Hegel fundidos en una sola persona!
demonio tenebroso, enemigo mortal de la civilización humana, príncipe del caos para burgueses y terratenientes y jefe amado y clarividente que conduce al género humano hacia un porvenir radiante según los proletarios, tengo el inmenso honor de presentarles esta noche en carne y hueso al célebre Doctor Marx!!
hubo una nutrida salva de aplausos entreverados con algunos silbidos y la cortina de terciopelo rojo del escenario se abrió ante un joven moreno y macizo, de barba cerrada y ojos centelleantes, sombríos
(«sus rasgos tienen una expresión de gran energía y, tras su comedimiento y dominio de sí, se adivina el ardor de un alma gallarda e íntegra», escribía a vuelapluma el corresponsal del *New York Tribune* en la tercera fila de butacas)
la cámara que le enfocaba había realizado un travelín por

los palcos y anfiteatro antes de centrarse de nuevo en el rostro expresivo del orador
(qué buen mozo es!, murmuró Jenny encantada)
camaradas!
(los vítores y hurras de la platea le impidieron continuar aguardó a que el público se calmara y tosió para aclararse la voz)
no es el pensamiento del hombre el que determina su modo de existencia, es al contrario su existencia social la que decide y compone la verdadera naturaleza humana!
(proudhonianos, bakuninistas, fabianos, blanquistas tomaban apresuradamente nota de sus palabras con la plausible intención de refutarlas mientras Willich y Gottschalk se removían con inquietud en sus asientos)
la historia social de los hombres no es jamás la historia de su desenvolvimiento individual, son sus vínculos materiales los que forman la base de todas sus relaciones y establecen los modos conforme a los cuales se realiza necesariamente su actividad en el marco de la sociedad!
(a medida que hilvanaba su discurso, Jenny repetía sus frases, como si las supiera de memoria, con la vista clavada en el televisor
no había sido ella acaso su consignataria y esmerada transcriptora?)
gracias a las fuerzas productivas nuevamente adquiridas, los hombres transforman su modo de producción y, con su modo de producción, transforman a su vez sus relaciones económicas, surgidas de un proceso material, concreto, específico!
el director del programa intercalaba abusivamente en las imágenes y secuencias discursivas del orador retratos del Che y planos de guerrilleros revolucionarios de Iberoamérica, pequeños grupos extraviados, como le decía con frecuencia a Jenny, en un comunismo voluntarista, de inspiración cristiana primitiva y aureola conspirativa romántica

luego concedió inopinadamente la palabra a Gottschalk
Vd. no toma en serio la liberación de los oprimidos!
(apuntaba a Moro con índice inquisidor, enjuto y caricatural, como la hechicera de un cuento de hadas)
la miseria del obrero, el hambre del campesino no tienen para Vd. sino un valor doctrinal y científico!, cuanto afecta a los sentimientos humanos no le conmueve!
(qué interés ofrecía a tales alturas resucitar las insidias y embustes de aquel charlatán? las denuncias de su esposo a la legislación laboral vigente y a quienes la defendían envueltos en el manto de una preocupación virtuosa por el alma de los explotados, no ponían el dedo en la llaga al concluir que, de acuerdo a las tesis del Dr. Ure, del profesor Senior y otros ilustres científicos, la industria británica, como un vampiro, necesitaría alimentarse de sangre humana, en especial la de los niños? no había escrito Moro que mientras en la Antigüedad el infanticidio era un rito misterioso cumplido en ocasiones solemnes por los adoradores de Moloch, el de los modernos servidores del Capital se realizaba a diario y mostraba una odiosa preferencia por los niños más míseros y desamparados?
Jenny y sus hijas apuraban el té servido momentos antes por la fiel Lenchen
las caras tumefactas e inmóviles de los alzados en nombre de su doctrina y ejecutados a sangre fría por el ejército y policía de las oligarquías de compradores impresionaban desde luego el corazón más empedernido, pero cómo decirles que se equivocaban? que a medida que la realidad se alejaba de la imagen de sus deseos, se aferraban con mayor frenesí a dicha imagen? el propio Moro compartía su consternación)
en el teatro, el orador se dirigía a la audiencia consciente de una superioridad intelectual que actuaba como fuerza magnética
asistimos, camaradas, a la lucha entre la vieja burocracia feudal

y la sociedad burguesa moderna, entre la sociedad de la libre concurrencia y la sociedad corporativa, entre la sociedad basada en la propiedad de la tierra y la sociedad industrial, entre la sociedad de la fe y la sociedad de la ciencia!
entre ambas, decía, había una lucha a muerte
pero la burguesía, que debería haber combatido por sus intereses clasistas, no había cumplido su tarea, había retrocedido temerosa del futuro, con la mirada fija en las masas que tendría que haber movilizado a su lado en razón de su debilidad para enfrentarse a solas al feudalismo! detrás de su propia revolución veía surgir ya el espectro de la revolución que se haría sin su anuencia y, carente de iniciativa y de fe en el pueblo y en sí misma, había vacilado en adueñarse del poder en el momento en que se prestaba a ello, se había detenido, impotente, a mitad de camino!
(nuevo corte
la cámara enfocaba, te enfocaba, rodeado de un grupo de compatriotas exiliados, con carné o simples simpatizantes, a la salida de una reunión explicativa del mediano o, más bien dicho, nulo éxito de la movilización popular en la jornada de Reconciliación Nacional o de Huelga Nacional Pacífica contra la dictadura
no era todo aquello anticipo o remake del consabido discurso del zorruno y entonces inamovible secretario general del Partido?)
había llegado el turno de preguntas
qué pensaba el orador de los gravísimos sucesos acaecidos en la Península? había que sostener al gobierno republicano o dar un paso más y encender el chispazo de la revolución?
el aún joven emigrado de Tréveris se expresó con calculada gravedad
España es un país tan atrasado desde el punto de vista industrial que no puede plantearse siquiera el tema de una emancipación inmediata y completa de la clase obrera!, para lle-

gar a ésta necesita atravesar varias fases de evolución, apartar de su vía numerosos obstáculos!
el tole le impidió continuar
bakuninistas, cenetistas, poumistas, miembros de la FAI, el obrero tipógrafo Anselmo Lorenzo, un periodista británico larguirucho y con gafas apellidado Orwell protestaban a gritos, la Primera y Segunda República se hallaban en peligro, sin una revolución inmediata capaz de galvanizar al pueblo y enhestar a las masas, nadie podría salvarlas!
era su actitud, como sostenía impasible el orador, un ejemplo de izquierdismo infantil, de un radicalismo obstinado y ciego, de fourieristas soñadores de un falansterio modelo?
Jenny, Tussy, Jennychen y la fiel Lenchen asistían en vilo, casi hipnotizadas, a los esfuerzos de Moro por hacerse oír en medio del vocerío
había cambiado de registro y expresaba con elocuencia su piedad por los sufrimientos de las masas, indignación contra la injusticia esencial al capitalismo, llamamiento a lo que el hombre tiene en sí de digno, fe en un mundo mejor y más justo, el amigo Engels había expuesto la situación inhumana de las fábricas, el trabajo en cobertizos y cuchitriles llenos de polvo y humo, el destino cruel de las mujeres y hombres que desmedraban en las hilanderías dieciséis horas diarias, hambrientos, tuberculosos, alcohólicos, ansiosos de olvidar el infierno al que vivían sometidos, todos los horrores de una libre empresa exonerada por el poder de las trabas solidarias del corporativismo
la firmeza de su voz, impregnada de una profunda convicción, las sacudía a través de la pantalla, el llamado mundo libre no había cambiado sino de ropaje y el hacinamiento y pobreza de los barrios de Manchester eran los mismos de antes, millares y millares de viviendas insalubres diferían apenas de su minúsculo refugio de Dean Street, la denuncia del sistema y carga profética se mantenían intactas, imáge-

nes llegadas de los centros motores de la economía, del mundo unipolar regido por los estrategas y profesores de la escuela de Chicago, mostraban la increíble extensión de la pobreza, proliferación de drogas y pandemias, paro juvenil, violencia, asesinatos policiales, incendios provocados, enfrentamientos étnicos, represión ciega, pillajes, resistencia de los míseros y excluidos a la máquina que los trituraba, su denostado esposo, padre y amigo tenía razón, seguía teniendo razón a pesar de la conjura urdida para desprestigiarle!
(por las mejillas rugosas de la fiel Lenchen surcaba, con perfección de perla, una lágrima)
grupos airados de rusos, ucranios, polacos irrumpieron entonces en la sala
su paraíso, acusaban, se había convertido en infierno, tras el gulag y fosas comunes de millones de víctimas, el sistema supuestamente igualitario y científico había arramblado con la intelectualidad, campesinado, oficios tradicionales, mundo literario y artístico, los embriones de sociedad civil surgidos durante el zarismo, el libre pensamiento, la iniciativa individual, el más mínimo afán de creatividad, para imponer sus pesados dogmas con una ferocidad superior a la de las religiones antiguas y cultivar la delación, generalizar la impostura, favorecer el cinismo, transformar al hombre nuevo en bárbaro viejo, setenta años de tiranía, saqueo, terror, esquizofrenia, parasitismo voraz, vodka callejero, felicidad mentida, perversión real, sistema denunciado por sus propios profetas, generaciones sacrificadas a ídolos de piedra, ilusiones perdidas, desolación, sí, desolación de la quimera!
dejaron de contemplar las imágenes de los presuntos depositarios del legado trocados en fantoches, en éxtasis ante las maravillas de un Mc Donald's o posando en compañía del viejo adversario de clase con grotescos sombreros tejanos
Dallas, Dallas!!
una única y obsesiva pregunta las corroía

por qué la brusca aceleración de la historia, tantas veces predicha por los más conspicuos pensadores del momento, se había producido a la postre contra su propia doctrina?
quién les había apeado o, peor aún, arrojado por la ventanilla del tren del Progreso?

Le arrancaste a su vasto almacén de pensamientos e inquieta y vivaz colmena de ideas, al sopor estival del Museo en donde, sumido en su océano de libros, auscultaba los cambios del mundo como un paciente médico de cabecera, reconocible a primera vista por el desorden aplicado de su pupitre, lleno de cuadernos de escritura descifrable sólo por Jenny y notas bibliográficas y estadísticas trazadas en letra revuelta
lo trasladaste a París, a los barrios que había frecuentado tras ser expulsado de Bélgica con su mujer y dos niñas o antes de la decisión bonapartista de desterrarle a Bretaña, cuando la insurrección popular contra Luis Felipe abrió las compuertas de la libertad política y Europa entera parecía plegarse al furor visionario del *Manifiesto* redactado meses atrás en Bruselas!
se dirigía ahora, como un perfecto desconocido, por la Rue Saint-Denis, al Café de la Picarde, al local del Club de Obreros Alemanes, compuesto en gran parte de zapateros y sastres fugitivos de la reacción prusiana en el que, entre mitin y reunión clandestina, solía pasar las tardes
los cambios operados en el Square des Innocents y la avenida que llevaba a Les Halles le desorientaron
se mezcló con la masa peatonal de turistas y visitantes próxima al Foro y se detuvo a contemplar la exhibición de un payaso cuya notable altura le permitía dominar el anillo formado por la asistencia, tocado con un impecable cilindro

de felpa dispuesto sobre la llamativa cabellera, la cascada de bucles sabiamente orquestada
se expresaba con la soltura del habituado a encrespar los fervores del ágora, mostraba al sonreír la prótesis dental y se servía de las manos enguantadas para dibujar imaginarias siluetas de adversarios, blanco de sus feroces diatribas
aquí donde me ven, señoras y señores, soy un auténtico príncipe ruso!, no de los que vinieron sin un chavo a hacer de taxistas para ganarse la vida, sino de los de la pos-perestroika y libre mercado!
(la risa resonaba en el interior de su garganta como el eco zumbón de una fragua vulcánica)
la caída estrepitosa del comunismo, del cuerpo de doctrinas y elucubraciones falaces del tristemente célebre y hoy execrado pensador de Tréveris, me ha devuelto de golpe propiedades y tierras, bonos del Tesoro, acciones de ferrocarriles y empresas mineras, decenas, qué digo?, centenares de pisos y viviendas expropiados por una chusma de vagos y ancianos a la que he puesto sin más de patitas en la calle a fin de abrir despachos y oficinas, agencias de Import-Export, sociedades bancarias y anónimas mixtas
(el payaso desenroscaba un largo pergamino de títulos cotizados en bolsa, como el de las conquistas amorosas del amo expuestas por Leporello a doña Elvira en una conocida escena de *Don Giovanni*)
desde seiscientos cuarenta en Italia a mil tres en España, la lista sería interminable, pero no pienso aburrirles más!
(arrojó desdeñosamente el rollo a uno de sus comparsas)
la verdad, señoras y señores, es que la harina de flor de la nobleza financiera, prebostes de la Iglesia y mandamases del Ejército se atropellan en mis recepciones palaciegas en las que el precio de un canapé de caviar de Irán equivale en rublos, al cambio real, al sueldo mensual de un honrado ciudadano con estudios de médico!

(emitió un sollozo burlón rematado abruptamente en carcajada)
sin dejarme embarazar por ninguna clase de escrúpulos, he pactado, señoras y señores, con los miembros más sagaces y avispados de la nomenklatura la creación de almacenes de lujo y casinos de juego y acabo de inaugurar en Moscú un fastuoso Club de Millonarios, a cuyos salones tendré el gusto de invitarles si extienden previamente a mi nombre un cheque en blanco destinado a incrementar mi ya inconmensurable imperio!
podía reconocer tras la máscara y fanfarria del mimo la inmediatez de su irreductible enemigo, vestido antes con deliberado descuido?
(recordaba su blusa gris abierta sobre un pobre chaleco de franela)
de ese rival encaramado con gozo en las tribunas, desde las que se imponía al auditorio con su corpulencia y altura, energía de gesto, tono persuasivo, increíble don de lenguas?
ninguna huella de pasados sufrimientos marcaba el rostro del agitador sepultado durante cinco años en la fortaleza de Pedro y Pablo, desterrado a Siberia, evadido por Alaska y América, que apareció con un romántico halo de heroísmo en un lejano congreso revolucionario, aplaudido con delirio por anarquistas conspirativos, carbonarios e iluminados!
únicamente el eco de sus palabras sonoras, exclamaciones, rugidos leoninos, fuerza telúrica, cegadores relámpagos hubieran podido ponerle en la buena pista
su ironía mordaz y recurso a la paradoja eran con todo los mismos de antes
no había defendido siempre con porfía la espontaneidad del espíritu revolucionario y sostenido ante los jefes de la Comuna, rabassaires del 36, estudiantes del Mayo francés que el impulso de destrucción de las masas era a fin de cuentas su instinto creador más profundo?

Le siguió por los alrededores de la calle de Arbat, entre las fachadas decrépitas de los apartamentos plurifamiliares cubiertos de carteles de advertencia con los rostros enrojecidos y edematosos de los detenidos en las últimas redadas de borrachos, las brigadas encargadas de su captura rastreaban los portales y accesos del metro y, a pesar de la escasa y paupérrima iluminación pública, podía entrever docenas de sombras agazapadas tras los cubos de basura mientras empinaban la botella de vodka barato y maldecían en sordina su aperreada vida

tufos malolientes, oscuridad, miseria, riñas, lamentaciones, escenas de caza furtiva, milicianos sorprendidos en flagrante delito de mordida, niños harapientos adiestrados en el trapicheo y mendicidad por las mafias caucásicas, vendedores de camisetas «Mc Lenin» con el rostro del patriarca soviético sobreimpreso en el doble arco dorado emblema de la célebre multinacional, viudas de jefes y oficiales necesitadas al acecho del turista a quien vender el uniforme completo del marido, pilas de cascos de pilotos de MIG y gorros de la KGB, setenta años de historia en saldo les acompañaron hasta el faro de un edificio noble recién restaurado

porteros con librea de almirante y sombreros de copa mantenían a raya con sus cachiporras a una patulea de individuos que, de rodillas, con golpes de pecho o brazos en cruz, pedían limosna sedientos y astrosos

el payaso los apartó brutalmente a patadas

vamos, despejad!, o llamo inmediatamente a la policía!

(se había sacado de la faltriquera un diminuto teléfono portátil y comunicaba a través de él misteriosas consignas)

los guardianes del templo abrieron, obsequiosos, sus puertas macizas y les introdujeron al vestíbulo alfombrado en el que descargaba una gran escalera de mármol, como en los filmes ambientados en el mundo aristocrático del zarismo
(la adaptación de *Guerra y paz*, que tanto entusiasmaba a Jenny)
barras americanas, salas de juego, aposentos dotados de toda clase de comodidades y gadgets electrónicos ocupaban el piso superior
todo se pagaba allí en divisas
el payaso le señaló una lápida colgada en el muro, cuidando de ocultar con su mano enguantada la parte inferior de la misma
leyó en alemán, inglés y ruso

NO SE SORPRENDERÁ VD. SI LE DIGO QUE
HE HECHO UNOS AHORRILLOS CON LOS
VALORES AMERICANOS, PERO SOBRE TODO
CON ACCIONES INGLESAS, QUE ESTE AÑO
PROLIFERAN COMO SETAS
HE GANADO ASÍ CUATROCIENTAS LIBRAS
Y RECOMENZARÉ PUES LA OPERACIÓN NO
LLEVA DEMASIADO RIESGO Y VALE LA
PENA ARRIESGAR ALGÚN DINERO PARA
REBAÑAR EL DEL ENEMIGO

no reconocía al autor de la cita?
no, no lo reconocía
seguro?
seguro!
se da por vencido?
se daba por vencido
y permaneció confuso, casi anonadado cuando el payaso desveló el rincón de la placa de mármol en el que se hallaba grabada la firma
su autor era él!

(el payaso le examinaba orondo como un botijo de serenar)
la tomé de una de sus cartas a su tío, el millonario holandés Lion Philips, en 1864, después de que heredara Vd. de su madre y del buen amigo Lupus la coqueta cifra de mil quinientas libras!
(una docena de socios del club, con prendas y accesorios de lujo importados de Occidente, les rodeaba con curiosidad)
como ve, quienes aplicábamos dócilmente sus recetas en las pasadas décadas nos hemos adaptado a los nuevos tiempos sin desdecirnos del todo de su doctrina!
(hubo un coro de risitas)

UN EX SECRETARIO REGIONAL DEL PARTIDO: a los que nos acusan de cambiar de chaqueta y enriquecernos a manos llenas, les exhibimos esa poco conocida defensa de la libertad de mercado en prueba de que seguimos fieles a sus ideas!

EL EX DIRECTOR DE UN PLAN QUINQUENAL CONDECORADO CON LA ORDEN DE LENIN: por una vez que escribe Vd. algo útil y adaptable a nuestra nueva filosofía, nos ha parecido justo reivindicarlo!

EL EX SECRETARIO REGIONAL: habíamos espigado otras posibles citas en su correspondencia con Engels así como en las cartas en las que su yerno Lafargue se asesoraba con Vd. respecto al paquete de acciones que debía heredar de su familia bordelesa, pero ésta nos pareció la mejor!

UN MIEMBRO DE LA ACADEMIA DE CIENCIAS: la misiva a su pariente y mecenas, fotocopiada en el Instituto de Historia Social de Amsterdam en donde se conserva su correspondencia, revela la existencia de un hombre pragmático que, en vez de elucubrar sobre el Capital, se esmera juiciosamente en fructificarlo! si hubiera perseverado en esta vía, podría haber acumulado Vd. una gran fortuna y, con su genio y visión innegables, quién sabe si a estas alturas no sería Vd. el fundador de una poderosa dinastía de magnates, como las que han forjado la gloria y prosperidad del Ruhr!

UN EX PROFESOR DE MATERIALISMO DIALÉCTICO DE LA UNIVERSIDAD MOSCOVITA: no hay desdoro alguno en servirse de la coyuntura económica e imponer la libertad del más fuerte! eso existe desde que el mundo es mundo y Vd. mismo vivió gran parte de su vida de la plusvalía de los obreros de Engels!

(todos movían aprobadoramente la cabeza)

los socios del Club de Millonarios nos sentiríamos muy honrados de tenerle unas horas con nosotros! qué le parece la idea de una visita a nuestros salones y dependencias?

el payaso lucía su chaleco gris perla con botones incrustados de diamantes y cadenillas de oro similares a las de los burgueses benefactores de las pinturas maestras neerlandesas, el vientre de indisimulada prepotencia bancaria, los pantalones oscuros de impecable raya, los botines lustrosos y acharolados, adquiridos en una tienda de postín de la Ville Lumière

par ici, cher Maître, welcome to our den!

azafatas en biquini y conejitos de Playboy le escoltaron a la galaxia de estrellas de la discoteca en la que los nuevos millonarios y sus agraciadas parejas ponían un hiato a una jornada consagrada a las vicisitudes de la compra-venta, entregados a los goces inherentes a una buena economía ultraliberal

le docteur Marx, voici le docteur Marx!!

el payaso se desgañitaba, susurraba a su oído con un guiño cómplice el Mane, Thacel, Fares compendio de sus ensoñaciones apocalípticas de reducir los santuarios del Capital a cenizas y asegurar la emancipación inmediata de las clases explotadas, le invitaba a crear conjuntamente sociedades secretas a fin de difundir y acelerar el caos y la anarquía

los socios del club moscovita querían entrevistarle, plantarle un micrófono ante los labios, asediarle a preguntas, refutar sus respuestas defensivas, conminarle a confesar su fracaso pero lo escamoteaste con arte de aquel antro chillón de nuevos ricos y nuevos libres y lo devolviste en un pestañeo a su paseata solitaria por la feroz selva urbana de París.

Como un santo de estampita, aureolado por una diadema de rayos solares, el rostro beatífico del mártir, recortado sobre el fondo de una asamblea guerrillera con hoces, martillos y rojas banderas desplegadas aparecía reproducido en docenas de carteles a lo largo de la calle, evocando en un idioma para él desconocido la lucha indomable de un pueblo por un futuro radiante bendecida por media docena de figuras, entre las que distinguió la suya y la de Engels, de Vladimir Ilich y el presidente Mao
inútilmente trató de descifrar y memorizar las consignas de aquellos inflexibles defensores de la lucha armada, separados de su país por inconmensurable distancia, pero llenos de ardor internacionalista, de juvenil vehemencia revolucionaria
aunque los edificios fuesen aproximadamente los mismos que él conocía, la fisonomía del barrio se había transformado
el antiguo Café de Picarde y Club de Obreros Alemanes era ahora una porno-shop!
contempló con desaliento y una pizca de curiosidad los instrumentos fetichistas, braguitas de encaje, calzones de cuero, brazaletes erizados de púas, videocasetes con un ars combinatoria de diferentes razas y sexos, el anuncio parpadeante de un espectáculo lésbico de jouissance garantie!
nuestro emigrado renano prosiguió su camino calle arriba,

pasada la Rue de Réaumur, hacia el arco triunfal de Ludovico Magno, sorprendido por el tráfago incesante de camionetas de carga y descarga, carretillas con bultos y paquetes empujadas por súbditos del imperio inglés de las Indias, otomanos de mancuernado mostacho, malayos de acento cantarino, prostitutas emboscadas en las puertas cocheras y callejas laterales, mareado casi por la variedad de rostros, vestimenta y peinado de una metrópolis abigarrada y mestiza, que poco tenía que ver con la que él recorría antaño
por fortuna, el arco seguía allí
se acercó a mirarlo, inmerso en la multitud de ex colonizados recién salidos de las flamantes peluquerías afro y descubrió los bajos del monumento literalmente tapizados de misteriosa propaganda política
otra vez él, Engels, Vladimir Ilich y el Gran Timonel!
aquella fidelidad, en tiempos de desgracia y miseria, le conmovió
a veces, de acuerdo a la probable orientación ideológica de los propagandistas, la inconfundible faz bigotuda de Josif Visarionovich sustituía a la del propulsor del Gran Salto Adelante

VIVE LA LUTTE REVOLUTIONNAIRE
DES MASSES AU PEROU!
SENTIER LUMINEUX VAINCRA!

(por fin una inscripción en francés!)
según pudo deducir, los carteles celebraban la guerra popular de unos combatientes toscamente dibujados con sus metralletas alzadas contra la oligarquía compradora, imperialista y rapaz
a qué lengua, etnia o nacionalidad pertenecían?
la URSS multicolor, compuesta de retales y piezas, robados aquí, heredados allá, no había sufrido a su vez la disgregación de la reaccionaria monarquía austrohúngara justamente profetizada por él y sus camaradas?

se acordó de Weitling y sus prédicas en favor de la realización inmediata del comunismo, de su creencia en que un número relativamente pequeño de hombres resueltos y bien motivados podría adueñarse en el momento oportuno de las riendas del Estado y, gracias a su postura firme e intransigente, conservar el poder hasta que el pueblo vislumbrara sus auténticos intereses y los tomara espontáneamente por guías

cómo hacerles comprender a aquellos iluminados que la humanidad avanzaba por etapas y, para llegar al final del camino, debían apoyar por razones tácticas a los gobiernos burgueses frente al feudalismo que aún prevalecía en su expoliado continente?

para sus adversarios más radicales y extremistas el elemento clave de la Revolución consistía en la cuidadosa organización de su trama subversiva, consagrada a destruir los cimientos de la vieja sociedad y a edificar sobre sus ruinas otra nueva, teñida de mesianismo primitivo y anhelos de perfección geométrica!

(los africanos acogidos a la sombra del monumento reían, se daban palmadas en la espalda, intercambiaban efusivamente canutos y cerveza enlatada, soberanamente indiferentes al despliegue propagandístico de los senderistas levantinos)

aunque su triste experiencia del exilio le había mostrado la conveniencia de mantenerse al margen de las organizaciones de emigrados y grupos de acción clandestinos, resolvió asomarse al cercano local de uno de ellos, cuya dirección figuraba en las octavillas distribuidas por un joven con gorra y rostro mal afeitado en las que se invitaba a los transeúntes a un acto público, la exhibición de un conjunto de óleos y pinturas de un gran artista revolucionario

subió por la Rue du Faubourg Saint-Denis, suspenso ante la proliferación de carnicerías islámicas, talleres de confección clandestinos, figones de exótica cocina otomana, forasteros inclasificables con extravagantes vestidos, salones de té minúsculos y atestados, puestos callejeros de productos importados, peluquerías perdidas al fondo de angostos pasillos, tiendas de ultramarinos con enrevesados caracteres arábigos

cruzó el Passage de Brady, con su techumbre de vidrio maltrecha, cubos de basura, aroma de especias, restaurantes indostánicos y africanos, viejos mendigos franceses, jóvenes sin hogar cargados de bolsas de plástico, oscuras agencias de viajes, botoneros y sastres, barberos a treinta francos, un mundo para él inexplorado e insensible en apariencia a los supuestos beneficios de la colonización europea

(un trago amargo, pero necesario para los colonizadores, según había convenido con Engels)

llegó al lugar indicado en la octavilla, subió una tronada y crujiente escalera, desembocó en una habitación espaciosa amueblada con una docena de mesas cubiertas de vasitos de té

los asiduos charlaban, jugaban al dominó y a las cartas, leían periódicos de su país o el boletín de la Asociación

se acomodó como pudo entre ellos y observó con una mezcla de aprensión y orgullo los carteles que reproducían su efigie y la de Engels, Vladimir Ilich y el Padrecito de los Pueblos

nadie le reconoció!

algunos chiquillos corrían entre las mesas o devoraban las pizzas y sángüiches que distribuía el cocinero

hubo un discurso del secretario de la Asociación, del que captó únicamente palabras volanderas, extraídas de su propio léxico

internacionalismo

proletariado

materialismo

dialéctico

los emigrados del local le traían a la memoria el recuerdo de artesanos y menestrales renanos, de patriotas polacos fugitivos de su aplastada rebelión contra el zar, de republicanos españoles derrotados en sus guerras civiles, enviscados como ellos en sus luchas internas y discursos triunfalistas en las afueras de la realidad
era la dura ley de todos los exilios? vano ajetreo en vez de acción real?
(se acordó de la acerba ironía de Herzen sobre sus compatriotas desterrados
no hablarían también éstos de la inminente crisis politicoeconómica del país nativo que precipitaría el soñado regreso? discutirían asimismo de ello día y noche, remacharían el tema sin parar? pasarían meses y años y los encontraría aún sumidos en las mismas disputas, los mismos reproches, las mismas acusaciones mutuas? sólo las arrugas y carrillos hundidos, descuido de atavío y cabellos grisáceos marcarían el paso del tiempo? más viejos, más huesudos y melancólicos, pero de discurso reiterado hasta la saciedad?)
a punto, una muchacha de apariencia universitaria anunció en francés y en un idioma que situó mentalmente en el grupo uralo-altaico la apertura inmediata de la exposición.

Traspuso el umbral de la exhibición y se internó en una inmensa galería de óleos colgados en paneles dispuestos en zigzag, cuadros y cuadros lujosamente enmarcados, figuras de tamaño natural, fogoneros robustos de modernos complejos siderúrgicos, pioneros siberianos en la entusiasta construcción de un canal, koljosianos de pegadiza alegría al volante de sus tractores, obreras entregadas en cuerpo y alma al cumplimiento de las metas fijadas, un Josif Visarianovich

rejuvenecido prodigando el rocío de su palabra a un extático grupo de niños, campesinos de los dos sexos emulando a batir nuevos récords, aldeanas rubias y de ojos zarcos heroínas del último Plan Quinquenal
la atmósfera de beatitud y fervor que reinaba en las telas parecía embeber la sala entera, contagiaba a la asistencia de una lenitiva, balsámica felicidad

nuestro héroe se detuvo a contemplar a dos mujeres encaramadas en una segadora-trilladora, minuciosamente pintadas por el artista con los cabellos acariciados por un sol benigno y las blusas de cuadros entreabiertas hasta el nacimiento de unos pechos de serena y granada feminidad
absorto en la idílica admiración del retrato, en los detalles amorosamente copiados como en la lámina de una fotografía gigantesca en color, no advertía que sus figuras se habían animado y le examinaban a su vez con recíproca perplejidad
coño!, pero si es él, si está aquí! venid a verlo! el autor del *Manifiesto comunista!*
hubo un coro de exclamaciones incrédulas procedentes de las demás telas colgadas en los paneles
la tractorista de blusa entreabierta se frotaba los ojos para cerciorarse de que sus sentidos no la engañaban y su sorpresa inicial cedió paso a una ironía desdeñosa y amarga
señor pensador, cree Vd. de verdad que los prototipos que representamos corresponden a la realidad?
las voces del fogonero que alimentaba el horno con su pala, le obligaron a volverse hacia él
quien nos ha mostrado así no ha puesto jamás los pies en una puñetera fábrica!, pintaba de oídas!, reproducía con su paleta el discurso que diariamente repetían la televisión y la radio!

sí, señor filósofo!, los trigales, excavadoras, alegría y sonrisas son invención y mentira! ilustraciones y estampitas de su siniestro aparato de propaganda! entérese de una vez!, somos personajes ficticios, compuestos conforme a las consignas de una casta opresiva y parasitaria!
un koljosiano de aspecto feroz se había adelantado desde los lejos del cuadro
en su libro *La ideología alemana*, Vd. escribe que en la futura sociedad comunista, el individuo no permanecerá circunscrito al marco de una actividad precisa sino ejercerá sus facultades en los asuntos que le interesen y atraigan, hoy una cosa, mañana otra, cazar al alba y pescar después del almuerzo, cuidar ganado por la tarde y entregarse a la reflexión crítica de sobrecena, todo conforme al humor del momento, sin convertirse por ello en cazador, pescador, crítico ni ganadero!
hizo una pausa y preguntó con la altivez y solemnidad de un socio del Casino Gesellschaft de Tréveris a un viñador del Mosela entrampado hasta el cuello
juzga Vd. de verdad que nuestra vida responde a una descripción tan idílica?
el fogonero le interrumpió
si seguimos sus teorías al pie de la letra, el proletariado soviético no sería el objeto sino el sujeto de su propia explotación! nosotros, esto es, el Partido, habríamos decidido explotarnos con mayor ferocidad que los empresarios burgueses que Vd. condena, sin tener siquiera la posibilidad de protestar so pena de incurrir en la incongruencia de hacerlo contra nosotros mismos!
el pionero siberiano: permítame que le lea otro de los sermones que tanto han cautivado a los revolucionarios desde hace un siglo! el trabajo alienado, como el de los siervos, es sólo una forma inferior y pasajera

de la sociedad, destinada a desaparecer ante la de los trabajadores libremente asociados para cumplir su tarea con espíritu vivo y corazón alegre!
el furioso koljosiano, erigido en juez y burgomaestre de Tréveris, le apuntaba con el dedo imitando sus gestos y ademanes del día en el que desenmascaró el aventurerismo e ignorancia de Weitling
el espíritu vivo y corazón alegre son los de estas pinturas, no los de nuestra dura y empobrecida existencia diaria!
el pionero siberiano: su amigo el poeta Freiligrath, al que luego arrastró Vd. por los suelos, pretendía que el comunismo tiene un porvenir! tal vez no cumplirá todos sus sueños, decía, pero, si no llega a las Indias, descubrirá América!
el koljosiano: lo malo es que no nos ha llevado a ninguna América sino al muermo y lobreguez de la URSS!
el pionero: Engels predijo con mayor realismo que si la sociedad comunista se viese un día en la necesidad de reglamentar la producción de seres humanos como reglamenta (en teoría!) la de los bienes materiales, ella y sólo ella podría lograrlo sin dificultad! palabras proféticas que anticipan el mundo de Orwell, la granja paraíso ideada por Vd.!

el tumulto arreciaba y la cólera de los héroes y condecorados con el Mérito del Trabajo se convertía en ensordecedor griterío, todos negaban en bloque la enjundia y entidad del papel que encarnaban, reivindicaban su condición puramente fantástica, criaturas brotadas de una imaginación enferma, confeccionadas para servir de coartada al sistema, la utopía mendaz por él inventada
quería ver la realidad creada al cabo de setenta años en nombre de su doctrina?, las vidas sacrificadas, talentos deshechos, esfuerzos malgastados, ideales muertos?, una visita guiada a las

Tiendas del Pueblo con sus estanterías eternamente vacías?, a las fábricas lúgubres y malsanas similares a las descritas por su colega de Manchester?, a las zonas contaminadas por emanaciones radioactivas?, a los vertederos de deshechos nucleares a cielo abierto?, a las fosas comunes de los fusilados durante las purgas?
un sueño invencible le movió a cerrar los ojos, levitar en un espacio onírico e irreal
recorría con su mujer y sus hijas un paisaje grisáceo de viviendas ruinosas y siluetas dolientes
legiones de desventurados a pie y en carretas avanzaban penosamente desde las bambalinas por un escenario asolado
era la horda de mendigos fugitivos del hambre y la peste de *Madre Coraje*, la obra teatral preferida de Jenny?
en cualquier caso, un geniecillo malévolo manipulaba juguetonamente el texto
los miserables, acompañados de la inolvidable voz de Lotte Lenya, huían del este al oeste, del futuro al presente, de la sociedad igualitaria al mundo cruel y competitivo fundado en la iniquidad!
en vez de la temida invasión de tanques soviéticos, Europa acogía con desconcierto a los siniestrados por su error doctrinal!

La experiencia nos muestra convincentemente que la inspiración divina, afirmada en lo alto, engendra abajo la afirmación de una inspiración divina contraria y es la inspiración divina de abajo la que hará saltar un día el trono de los reyes y derribará sus estatuas!
Moro no estaba muy seguro de la exactitud de la cita que, como apuntaba amargamente Jenny, se volvía como un bu-

merán contra su propia doctrina, pero sí del lema universalmente conocido LA RELIGIÓN ES EL OPIO DEL PUEBLO
privado de él por espacio de setenta años, pese a las dosis masivas de anestesiantes, analgésicos y fármacos laicos que sus torpes e ineficaces seguidores le habían administrado, el de la Patria Universal del Socialismo recurría bajo los efectos del síndrome de abstinencia a cualquier clase de derivados opiáceos, desde los más espurios y bastos a los más quintaesenciados y puros
todo andaba patas arriba, las supersticiones religiosas combatidas en nombre de una filosofía que en vez de interpretar el mundo lo transformaba se removían en sus cenizas, brotaban incólumes del subsuelo y se imponían a la esclerosada ideología oficial con la lozanía y vigor de una tierra mantenida largo tiempo en barbecho
(evocó de memoria sus viejos escritos
«el reflejo religioso del mundo real desaparecerá el día en el que las condiciones de trabajo y de vida práctica brinden al hombre unas relaciones nítidas, racionales con la naturaleza y sus semejantes» o «la vida social se liberará de la nube mística que la envuelve cuando se manifieste como obra de individuos libremente asociados, dueños de su propio movimiento y conscientes de sus actos»)
qué quedaba ahora de todo ello?
había descubierto de verdad, como decía Engels, la ley fundamental que determina el curso y desarrollo de la epopeya humana?
cómo explicar entonces que mientras los templos del oscurantismo se llenaban de fieles y la voz del almuédano convocaba a una magna multitud de creyentes, sus obras filosóficas y científicas fueran desdeñadas y entregadas a veces al fuego purificador?
el televisor transmitía por vía satélite las ceremonias de la Pascua ortodoxa, monasterios e iglesias recubiertos de íco-

nos, Cristos doloridos y exangües, ángeles severos, Vírgenes candorosas, relicarios de santos y mártires, retratos del último patriarca enfrentado a los rojos y de un monje curandero de milagrosas artes
(supercherías atrapabobos, mascullaba Laura)
pero, de qué modo conjurar la teoría medieval de popes barbudos como el satirizado por Eisenstein en su célebre acorazado, los oficiantes erguidos en sus iconocastios de madera labrada, bosques de cirios ardientes, incensarios blandidos por metropolitas, crucifijos, liturgia, ríos de procesiones cantadas?
el mercado religioso se extendía rápidamente, como decía el comentador del programa, en virtud de un aumento increíble de la demanda
aguardando la llegada de hamburgueserías y otras delicias de la sociedad libre y democrática, las masas se precipitaban a seguir las prédicas televisadas, misiones baptistas del carismático Billy Graham, misas pop oficiadas en salas abarrotadas, mítines adventistas en el Palacio de los Congresos del Kremlin y, colmo del sarcasmo, en el mismísimo estadio de Lenin!
(Jenny leía en voz alta, como para conjurar la suerte, párrafos de *La crítica de la filosofía del derecho de Hegel*
«Lutero venció la servidumbre de la devoción pues la reemplazó con la servidumbre de la convicción, quebró la fe en la autoridad reestableciendo la autoridad de la fe, transformó a los curas en laicos, zafó a los hombres del aspecto exterior de la doctrina instalándola en su recinto interior, libró al cuerpo de sus cadenas encadenando el corazón»)
los viejos militantes del Partido y patriotas enmedallados asistían confusos a la irrupción anacrónica de frailes dominicos, jesuitas en sotana, numerarios del Opus Dei con cartera de ejecutivo, comunidades neoecuménicas, misiones franciscanas, acólitos de la Iglesia de Cristo, Nuevos Creyentes, Chil-

dren of God y otros grupos llamativos con bandas de música y profusión de billetes verdes
perturbar a los devotos, irritar a los hipócritas, reír a carcajada limpia para romper el plúmbeo silencio de las sociedades sumidas en el conformismo, tal había sido su divisa juvenil cuando, en compañía de Bruno Bauer y otros empedernidos juerguistas, se presentó en un carruaje tirado por asnos en un paseo de Bonn frecuentado por burgueses solemnes e ignaros y la escena se repetía ahora en la pantalla para una colonia mimética de adolescentes encuadernados en cuero y ataviados de quincallería, en el cruce de dos vastas arterias de la capital moscovita
una carreta tirada por mimos con disfraces de mujics avanzaba a paso lento hacia el núcleo central de la encrucijada presidido por un busto del padre del socialismo científico!
subido al pescante, el mismo payaso con quien se había topado en Les Halles alternaba sus gesticulaciones y solos de trompeta con simulados golpes de knut en las espaldas de los míseros campesinos
arre! más aprisa, canallas! eso os enseñará a zanganear y sabotear las metas de nuestra sociedad justa e igualitaria!, carne de horca sois y mereceríais castigo más recio!, otros por mucho menos duermen en el cementerio! pero siendo hoy el cinco de mayo, ciento setenta y cinco aniversario de la fecha en que vuestro redentor vino al mundo, me contento con arrancaros la piel a tiras con las bolitas de metal del látigo! vamos!, saludad la memoria gloriosa del titán que liquidó el poder de la burguesía!, aplaudid la compasiva sentencia que os condena a diez años con padrón de ignominia, entonad con ardor las estrofas del himno internacionalista mientras yo enciendo mi puro de Davidoff y verifico la disposición de las ofrendas florales y líricas!
el payaso de solapas sobrecargadas de medallas y uniforme

de mariscal abombado por su vientre prepotente y bursátil se hizo apear de la carreta a hombros de los mujics tambaleantes, tomó pie en tierra con rigidez y cautela de astronauta y desgranó al público joven y ansioso de distracción la lista completa de sus dachas y privilegios de la nomenklatura
dad gracias al forjador de un mundo sin las lacras de la pobreza y explotación!, al titánico pensador a quien debemos siete décadas de plétora y dicha!
los curiosos se arremolinaban en torno al payaso y reían cuando éste se santiguaba, fingía rezar tras imponer silencio con un corte de mangas y se arrodillaba ante el busto de mármol ornado para la circunstancia de dos monumentales orejas de burro
Padre, por qué me has abandonado?
Möhme apagó la televisión
las palabras del Pater Noster, sustituidas con invocaciones a Pater Karl, resonaban en sus oídos como un taladro
quién sino el compadre de Nechaiev podía ocultar tanto odio y almacenada envidia tras la máscara burlona del sembrador de anarquía?
aprovechando que Jenny formulaba en voz alta lo que el resto de la familia escondía, la fiel Lenchen se deslizó sigilosamente a la cocina a preparar los ungüentos del Moro en previsión de una nueva y aguda crisis de furúnculos!

Cuando Anselmo Lorenzo visitó por segunda vez el domicilio londinense del filósofo no se hizo depositar frente a él en un coche de punto
tras un recorrido a pie por los barrios que conocía
(las calles miserables y ajetreadas de Candem Town descri-

tas por Dickens le habían imantado de nuevo durante el paseo con su aguijadora promiscuidad)
acudió a los servicios de un taxi
(le agradaba el techo alto de los taxis ingleses aunque nunca gastase chistera!)
Moro le había divisado desde la ventana y bajó a recibirle al portal, a abrazarle y besarle en la frente, pese a sus divergencias teóricas, como a un viejo camarada de lucha
cuánto tiempo sin verle!
sí, cuánto tiempo!
había corrido mucha agua bajo los puentes, el mundo se transformaba a ojos vistas y ellos seguían igual, fieles a sus ideas de siempre, verdaderos solitarios en la multitud
mientras Jennychen le hizo leer la otra vez en voz alta pasajes de *Don Quijote* y Calderón, por el simple placer de escuchar su correcta pronunciación castellana, fue Tussy, una Tussy precoz, deslumbrante de dones e inteligencia, quien ayudó a su padre a hacer los honores de la casa y preparar una oportuna merienda
(su situación económica, antes precaria, parecía haber mejorado un tanto)
luego de tomar el café, discutieron amistosamente de los sucesos del Este, del derrumbe en cadena de los llamados países satélites, del fin de la nueva Roma de a orillas del Moscova
no ponía lo ocurrido en tela de juicio las doctrinas marxistas fundadas en la autoridad?
en su respuesta, impregnada de humor cordial, Moro no tuvo reparo en recurrir a argumentos de su hipostático Engels
si en vez de ser Vd. tipógrafo de una pequeña imprenta, trabajara en una gran fábrica como las que empiezan a crearse en España, sabría que ninguna acción común es posible sin un mínimo de autoridad, ya de una mayoría de votantes, de un comité director o de un solo hombre! siempre habrá

una voluntad única impuesta a los disconformes pues sin ella no habría forma alguna de cooperación! trate Vd. de poner en marcha una de las plantas industriales de Barcelona sin dirección ni normas! o de administrar una compañía de ferrocarriles sin tener la certeza de que cada maquinista e ingeniero estará, llegado el momento, en el puesto que le corresponde! me gustaría saber si el bueno de Bakunin confiaría el volumen y peso de su cuerpo a un vagón de tren cuya línea funcionara de acuerdo a sus principios, esto es, en la que nadie se hallaría en su sitio si no le diese la gana de someterse a las órdenes de la autoridad!
todas estas frases ultrarradicales y revolucionarias disfrazan una absoluta miseria intelectual y desconocimiento total de los mecanismos de la sociedad! sólo la aplicación errónea de sus doctrinas, manipuladas por Vladimir Ilich y sus sucesores, decía Moro, había convertido la dictadura del proletariado en dictadura del Partido, la de éste en la del Comité Central, la del Comité Central en la del Buró Político y la del Buró Político en la de un omnímodo e infalible secretario general, una serie de mutaciones alquímicas que habían privado a los obreros del poder y derecho a la palabra, metamorfoseándolos en una masa callada y sumisa, con beneficios materiales indudables, pero sin un control efectivo de sus fuerzas de producción
para el obrero tipógrafo, la culpa venía de más lejos, si su anfitrión había analizado magistralmente en sus obras la apropiación de la plusvalía económica por parte de la burguesía, no previó en cambio la posible incautación de la plusvalía política de los trabajadores en provecho de la elite comunista, Bakunin, con perdón!, se lo había advertido, ningún organismo central, como el creado en nombre de la doctrina marxista, podía reemplazar la suma de decisiones individuales que configuran una sociedad!
(desde la cocina, la fiel Lenchen oyó denunciar por enésima

vez a Moro la resurrección cíclica del voluntarismo mesianista de los Weitling y Gottschalk
Jenny había ido a empeñar sus últimas joyas y aguardaba su regreso para disponer la cena)
la charla se había prolongado más de una hora, centrada por Anselmo Lorenzo, en torno a las causas de la derrota de la Primera y Segunda Repúblicas españolas, en la debilidad y apocamiento de las fuerzas burguesas y el extremismo de los partidarios de una Revolución utópica
(el dominio del español de que hacía gala Moro y su erudición asombrosa le mantenían en vilo)
al otro lado de la pieza, pequeña y densa de humo, Tussy seguía el noticiario informativo del Canal Cuatro
(los argumentos y temas de discusión de su padre y el visitante le parecían anacrónicos e irrisorios ante la violencia y desolación de las imágenes
qué clase de nuevo orden mundial sustituía al penosamente forjado durante un siglo y medio de errores pero también de conquistas, de brutalidades y crímenes pero también de solidaridad?
en un universo entregado otra vez al credo sacrosanto del enriquecimiento y satisfacción individual, elementos como sueños, imaginación, sentimientos, no corrían el riesgo de convertirse en cortapisas a la eficacia del sistema y factores de disidencia moral, reduciendo a quienes se aferraban a ellos a la pobreza y marginación de la sociedad?)
inopinadamente se levantó y removió el rimero de libros hispanos que le habían regalado sus padres hasta dar con un ejemplar de *La Celestina* y leer en castellano con un acento que el obrero tipógrafo no acertó a definir de alemán o británico, pero impregnado, eso sí, de manifiesta emoción

> el mal y el bien, la prosperidad y adversidad, la gloria y pena, todo pierde con el tiempo la fuerza de su acelerado principio, qué tanto te maravillarías si dijeses,

la tierra tembló u otra semejante cosa que no olvidases luego? así como, helado está el río, el rey llega hoy, caído es el Muro, Gorby dimitió, la URSS ya no existe, eclipse hay mañana, Bagdad fue arrasada, aquél es ya obispo, a Pedro robaron, Inés se ahorcó?, qué me dirás, sino que a tres días pasados o a la segunda vista, no hay quien de ello se maraville?, todo es así, todo pasa de esa manera, todo se olvida, todo queda atrás

se interrumpió

tenía los ojos enrojecidos y la mirada extraviada, parecía a punto de llorar e hizo un visible esfuerzo sobre sí misma

aquélla era la ley de la historia, no la inventada por filántropos e ilusos!, había que leer a Shakespeare y a Rojas!, sus obras acertaban a pintar cabalmente el mundo en el que vivían!

antes de despedirse de aquella Tierra en la que la criminalidad abstracta de los sistemas era relevada, como al comienzo, por una explosión general de pasiones crudas y primitivas, el odio irracional prevalecía a las ideas y un afán insaciable de poder conducía a la proliferación ganglionar de guerras y exterminios, quería vivir unas horas de exaltación!

había tomado entonces, como la madura Eleanor, la decisión de suicidarse?

necesitaba, les dijo, mudar de aires y se brindó a acompañar al visitante a la cercana parada de taxis, haciendo gala durante el trayecto, según palabras de Anselmo Lorenzo, de una exquisita cortesía que disimulaba a duras penas la hondura y violencia de su emoción.

Y el Payaso?

noticias dispersas de sus bufonadas y chocarrerías llegaron

a Dean Street a través de gacetillas e informes de testigos irrecusables
mientras el dogma ultraliberal triunfante de la promoción del esfuerzo individual como único valor cotizable arrojaba diariamente a la calle a docenas de parados, ancianos sin recursos y enfermos mentales, convirtiendo el centro de Londres, como a comienzos de la Revolución industrial, en el hormiguero de vagos y maleantes magistralmente descrito por Dickens, una amiga de Lizzy Burns, la compañera de Engels, lo había visto en las cercanías de Harrods, vestido como un lord o ministro del gabinete de Mrs. Thatcher, removiendo con la punta de su bastón con empuñadura de plata a un amasijo de cuerpos yacentes sobre periódicos y cajones de embalaje, rodeados de botellas vacías de Guiness plantadas en torno a sus usucapidos dominios como soberbios, buckinghamianos candelabros, qué leches hacían allí, en un barrio pudiente, legañosos, sucios y astrados ofreciendo una imagen nefanda de la capital a los extranjeros que la visitaban?, creían quizá que ellos permitirían que su ciudad se transformara en el refugio mundial de todos los perros sin collar?, el crecido número de ex combatientes y liberados de asilos siquiátricos sueltos por las calles no implicaba una amenaza potencial de intimidación y chantaje respecto a los ciudadanos pacíficos y honorables?, cómo borrar ese estigma sino recurriendo a medidas expeditivas, la intervención contundente de la policía para despejar de una vez el área?
y, vitoreado por los clientes de Harrods, el payaso gritaba el Estado Providencia ha sido una estafa!, solidaridad y compasión son principios anacrónicos y nocivos!, la caída social de esa gente es responsabilidad suya!, no tenemos por qué recompensar su pereza e incompetencia con un solo penique de nuestros bolsillos!
luego le habían visto extender sus provocaciones dirigidas

a encender según él la chispa revolucionaria, a distintos países de Europa
atizar las luchas étnicas y el miedo irracional a los inmigrados, predicar a estos mismos inmigrados la resistencia armada a los neonacis y partidarios de la cruzada racista, proponer jocosamente a los parisienses una patente de su invención para los edículos ovales de los bulevares destinados a aliviar las necesidades naturales del público, un dispositivo ingenioso gracias al cual, de modo aleatorio y sin programación alguna, dichos edículos transparentarían por sorpresa las actividades evacuatorias de los clientes cómodamente instalados en su trono simbólico sin que éstos lo advirtieran ni sospecharan tan sólo que un gentío ameno y jovial formaba anillo a su alrededor en la acera, atento a cada una de sus expansiones, ventosidades, suspiros y miradas de satisfacción a la obra ya hecha hasta el momento inefable de la salida, cuando compuestos y serios como fieles católicos que abandonan el templo después de sus devociones serían acogidos por los mirones con familiaridad condescendiente y risueña, fruto de aquellos minutos alegres de intimidad compartida!
(dado que la oferta electoral de los partidos era idéntica y nadie alcanzaba a discernir la diferencia de sus programas, el suyo ofrecía al menos distracciones como la que acababa de proponer!
una pizca de sal y color en la grisura e insipidez de sus vidas uniformadas por la tecnoburocracia!)
los periodistas le habían descubierto finalmente en la Ciudad de los Prodigios, la portentosa Villa Olímpica, actuando de concierto, escribían, con una mujer vestida a plazos, en traje de baño de dos piezas, con sostenes y braga verde fosforescente y un ajustador de repuesto calado hasta las cejas, la tela brillaba en la penumbra veraniega como la de los trabajadores de obras públicas para señalar su presencia en las carreteras y él la seguía a corta distancia con la faz

pintada de blanco y una nariz gruesa como una patata, soy la oficiala de lencería del Corte Inglés decía ella a los clientes de la terraza central del café de las Ramblas, y vengo a presentarles nuestra colección de modelos de temporada, al tiempo que se despojaba del sostén y ofrendaba sus pechos maduros a la gloria del público con el orgullo y desafío de una depuesta soberana malgache

la muchedumbre acudía a contemplar y aplaudir a la osada mientras se quitaba y ponía sus prendas, pasaba el platillo por las mesas concurridas por turistas y homosexuales, amenazaba a indecisos y recalcitrantes con echar un polvo con ellos, un viaje en cohete cuyo chupinazo, juraba, los dejaría morados!

nórdicos despechugados, magrebís, gitanos, paquistaneses se aglomeran frente al Gran Teatro del Liceo, el santuario barcelonés consagrado a la ópera, punto de cita obligado del rovell de l'ou de una burguesía tradicionalmente culta y melómana, justo a la hora en que ésta sale del sancta sanctorum en tenue de soirée y cuello de pajarita, entonando todavía el pasaje favorito del aria cantada por la diva, enfrentada de pronto a la oficiala de lencería y nuestro payaso, cuya nueva y artera especialidad consiste en seguir a algún transeúnte como una sombra, pegado a su espalda sin que se percate de ello e imitando cruelmente sus andares en medio de las risas y bulla de los felices asistentes al espectáculo

nos lo temíamos!

el muy insolente escoge por blanco de su parodia a un caballero de porte distinguido y noble barba canosa, uno de los Padres de la Patria que, abrazado a la senyera, había sufrido con impavidez las amenazas e insultos de la policía de la dictadura a la entrada del monasterio de la Moreneta, la Rosa d'Abril catalana!

cómo el desvergonzado se atreve a tamaña afrenta?, ningún conocedor de esta página ilustre de una nación secularmente agraviada se halla presente en los lugares para interrumpirle y propinarle una sonora bofetada? pero los jóvenes de tez oscura y dientes nevados que integran la mayoría del público ignoran dicho acontecimiento y, alentados por la sonrisa del obrero tipógrafo Anselmo Lorenzo, cónnive a todas luces del desacato, se dislocan de risa mientras el insigne personaje y su sombra maligna se pierden entre el público heterogéneo que, como el río de Heráclito, circula sin cesar por las Ramblas

abajo, en el puerto, les aguardan millares de albaneses!
señoras y señores
la nave è arrivata!

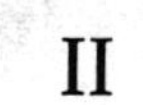

II

1

A MEDIDA que avanzabas en la redacción de este manuscrito la ansiedad te embargaba, imaginabas el momento en que irías a depositarlo en la oficina del editor y preveías su reacción de sorpresa y contrariedad conforme se internaba en sus páginas, tomaba notas apresuradas dirigidas a su artífice, acompañadas a veces de interrogantes al borde del texto y furiosos, condenatorios signos de exclamación!
le veías introducirte en su moderno y confortable despacho con afabilidad exagerada, prevenir a la secretaria que no le pasara ninguna llamada, arrellanarse en su butaca de ejecutivo después de asegurarse de que habías tomado asiento en el mullido sofá de cuero, sobria y elegantemente compuesto con la chaqueta de tweed, recortado bigote y la pipa de su cultivada estampa faulkneriana, lleno de cordialidad y simpatía hacia un viejo autor de la casa, amigo de toda la vida cuyas aficiones literarias compartía como quien dice desde la infancia, admirador además de su obra no obstante sus dificultades intrínsecas e índole elitista y minoritaria, alguien en fin profundamente receptivo a su talento, peculiaridades expresivas y afán de originalidad
(por qué esos largos párrafos sin puntuación? te había dicho en otra circunstancia, no veías acaso que desconcertaban al lector y lo alejaban del libro?

amistosamente, como un médico de cabecera, había escuchado tu deshilvanada defensa, lo de que era cuestión de ritmo, ajuste auditivo, música, respiración del texto, sin perder un ápice de su compostura ni actitud comprensiva, acentuando involuntariamente la impresión de que te trataba como a un enfermo)
uno de sus asesores, menudo y con gafas, entraría en aquel momento en el despacho, no sabes si por mero azar u obedeciendo a un plan trazado, lo cierto es que después de saludarte, excusarse y hacer ademán de salir, el editor le invitaría a quedarse, que no, que no molestas!, tú eres también admirador suyo y has leído como yo el manuscrito, así podremos hablar de él los tres juntos, la opinión de uno, como decía Celestina la Vieja, no vale en ningún caso la de dos e, instalado en aquel minitribunal en el que te correspondía a ti el papel de acusado, iniciaríais de preámbulo una anodina conversación sobre amigos comunes, éxitos de venta de autores más jóvenes
(están arrasando, diría el editor)
comentaríais la triste noticia del fallecimiento de algún conocido, quizás alguna picante historia de cuernos protagonizada por una figura del mundillo cultural o los incidentes provocados por la última borrachera de un popular y calamitoso poeta de la generación del medio siglo
el manuscrito sobrecargaba la mesa del juez, como prueba irrefutable de tu delito y el editor forzaría aún la amabilidad de su sonrisa en un gesto que estimarías de mal augurio, antes de abordar el asunto que en verdad os reunía
bueno, allí estaban la criatura y su señor padre! su mayor deseo habría sido aprovechar la visita para felicitarle, celebrar sus bien probadas dotes de creador, decirle que su novela sobre Marx era realmente magnífica!, la había leído con atención extrema, sin perderse una tilde, con la esperanza de encontrar al fin un hilo conductor, ver surgir de sus pá-

ginas como personajes de carne y hueso a Moro y su familia, embeberse en las vicisitudes de su vida revolucionaria, etapas de miseria, luchas políticas, cambios de fortuna, elaboración del cuerpo doctrinal que trastornaría al mundo durante un siglo, en suma, una novela real como la vida misma, con la descripción sicológica de Karl, Jenny y las tres hijas, del lúgubre apartamento de Dean Street, nacimiento y muerte desdichada de los dos varones y la pequeña Franziska, herencia providencial de la madre de Jenny, instalación posterior en Grafton Terrace y la villa de Maitland Park gracias a nuevas y sustanciosas donaciones testamentarias, amistad vigilante y generosa de Engels, bueno, tú conocías la historia mejor que él, todo ello urdido en una novela que conmoviera al lector y le llegara al corazón, hiciera justicia al personaje con severidad y rigor, pero también con humanidad, simpatía!, la idea de trasladarlo a la época actual tras el derrumbe del comunismo no era mala en sí, manejándola bien podrías haber escrito una obra con elementos de imaginación capaces de hacernos reflexionar sobre la justicia de sus denuncias y fracaso de sus profecías! al proponerte el tema se daba por supuesto que no aparecerías con una novela ordinaria bajo el brazo sino introducirías en ella componentes de novedad, calando por ejemplo, como algunos escritores anglosajones a quienes nadie podría tildar de anticuados, en el fondo del alma de Moro y de su familia, expresando quizá su subjetividad en forma de monólogos interiores y barajando luego con destreza los diferentes puntos de vista, configurando así, no sé si me explico, una obra que sería a la vez inventada y auténtica, dramática y cómica, amena e instructiva, eso era justamente lo que esperaba de ti, una innovación del género, no una serie de esbozos a veces jocosos, pero siempre disparatados, mezcla delirante de fantasía y situaciones absurdas!
(con la vista clavada en el suelo, el asesor aprobaría con la cabeza)

pasemos lo de la acronía y atopía que tanto te gustan y se encarga de glosar tu pequeña cofradía de adeptos! mas este juego, una vez admitido, y él no lo rechazaba a priori ni mucho menos, debía someterse a ciertas reglas, mantener un mínimo de coherencia! si la visión del mundo actual, de esa aldea global de Mc Luhan, la enfocas desde el cuchitril de Dean Street en el que vivió la familia Marx creo que a partir de la revolución de 1848, no es así?
el asesor: en 1850, exactamente
durante cuánto tiempo?
(puntual, eficiente, el joven de las gafas se adelantaría a tus cálculos
tenía bien empollada la lección)
seis años!
bien, seis años, estás de acuerdo?
(no te quedaría otro remedio que asentir en silencio)
veamos entonces las cosas como son! en este período comprendido entre 1850 y 56, Jennychen y Laura eran dos chiquillas y Tussy no había nacido aún!
el asesor: nació en 1855!
pues en tu novela, las pintas mayores y, olvidando esta enorme incongruencia, añades otra todavía más grave en la escena en la que Moro se despierta y ve a Jenny ofreciendo su pecho al crío! aquí, te confieso, estuve a punto de cerrar el libro y exclamar esto es una tomadura de pelo! y lo mismo puedo decirte de la visita de Anselmo Lorenzo, que tú sitúas en Dean Street siendo así que tuvo lugar en Modena Villas muchos años más tarde!
asesor: durante la conferencia de la Internacional en Londres, después de la Comuna!
en otras palabras, un solemne disparate!
el teléfono sonaría tal vez oportunamente y el editor apretaría un botón del cuadro de mandos con malhumorada desgana
ya le dije que

es el jefe!
dígale que le llamo dentro de diez minutos!
cortaría la comunicación y esbozaría de nuevo una sonrisa que esta vez no se adaptaría fielmente a su rostro y permanecería en él sobreimpuesta, como artificial y toscamente pintada por un niño
su habitual apariencia faulkneriana se habría disipado sutilmente y espigarías en el almacén de imágenes de la memoria hasta dar con la que buscabas
tu editor parecía haberse trasmutado en el ilustre Thomas Gradgrind de *Tiempos difíciles*!!
lo que me hace falta, señor mío, son Hechos! lo que exigen nuestras lectoras y lectores son Hechos! déjese usted de elucubraciones y visiones oníricas inútiles para el público y suminístrele Hechos! mil digresiones poéticas y escenas fantásticas no valen un Hecho! si de aquí en adelante quiere que aceptemos su manuscrito, aténgase estrictamente a los Hechos!
(el diminuto asesor de las gafas callaba dócilmente vestido de alumno de las escuelas de la época victoriana y aprovechaste su salida autorizada al lavabo para eclipsarte tras él por el fondo de la clase).

2

A fin de curarte en salud y evitar los comentarios sarcásticos del editor después de una lectura que podría poner en peligro el tenue hilo de las mensualidades merced a las cuales vivías durante la compostura del libro, decidiste enviarle por correo unas cuartillas con un retrato fisicomoral de Marx y una descripción minuciosa de su domicilio, con todos los

ingredientes de un informe policial o de un novelista discípulo de Balzac, conocedor asimismo de la obra de Dickens
la tarea era fácil
bastaría para ello echar mano de algunos de los testimonios de quienes le frecuentaron, copiarlo con esmero y mandarlo al editor como presunta muestra de tu trabajo en vez del auténtico y perturbador manuscrito!

3

Marx es de talla media, tiene treinta y cuatro años, pero ya peina canas, y su complexión recia y los rasgos faciales evocan los de Sgemere, el revolucionario húngaro, aunque de tez más oscura y cabellos más negros,
gasta una luenga barba y los grandes ojos, brillantes y perspicaces, tienen algo de demoniaco, siniestro
toda su figura transmite la impresión de un hombre dotado de genio y potencia y su superioridad intelectual ejerce un poder irresistible en quienes le rodean
en su vida privada es una persona cínica y extremadamente desordenada, mal anfitrión y empedernido bohemio,
su limpieza, peinado y muda de ropa son acontecimientos excepcionales!
como esposo y padre de familia parece ser afable y tierno, no obstante su carácter de un natural irritable y salvaje
vive en uno de los barrios más pobres y económicos de Londres
su domicilio se compone de dos piezas, una, el salón que da a la calle, y otra, detrás, que sirve de dormitorio
en esta vivienda, no se encuentra ni por casualidad un solo mueble limpio y en buen estado, todo está en jirones, roto y dislocado,

una espesa capa de polvo cubre cosas y objetos y el conjunto se halla patas arriba
en medio del salón hay una gran mesa de apariencia antigua cubierta con un mantel de hule y casi oculta bajo una montaña de manuscritos, diarios, libros, juguetes de los niños, trapos y labores de costura de Frau Marx
al entrar en la casa, la visita se enfrenta a tal nube de carbón y tabaco que hay que caminar a tientas como en una caverna hasta que la mirada se habitúe y permita vislumbrar algunos chismes como a través de la niebla! la suciedad y descuido reinantes, convierten el mero hecho de sentarse en un ejercicio lleno de peligro! una silla tiene solamente tres patas y los niños juegan a hacer la cocina sobre otra que por puro azar se conserva entera! y será precisamente ésta la que se brindará al visitante sin limpiarla de los guisos de los críos y, como te sientes en ella, adiós pantalón!
pero nada de eso perturba en absoluto a Marx ni a su esposa! os reciben cortésmente y traen con amabilidad una pipa, tabaco y el primer refrigerio que hallen a mano! una conversación inteligente y amena acaba por contrapesar los defectos domésticos y hacer soportable la falta de comodidad
a la postre uno se habitúa a su compañía y halla el entorno curioso y original
tal es el retrato fiel de la vida doméstica del jefe comunista Karl Marx

4

Terminaste de copiar el informe enviado a la policía de su país por Stieber, el soplón prusiano, tras su visita al 28 de Dean Street

el editor y su equipo apreciarían sin duda el botón de muestra de su escritura, te animarían a coro a seguir adelante (qué riqueza de detalles y observaciones perspicaces! aquello era cabalmente lo que buscaba el lector!)
pero, cómo decirles que no eras un agente de seguridad en misión de espionaje ni un aplicado discípulo de Balzac? que las descripciones verídicas y diálogos teatrales te jeringaban y parecían el colmo de lo artificioso y acartonado? que únicamente el vuelo de una imaginación libérrima podía dar cuenta de las realidades de la época y su conexión con el pasado?
la evocación chirriante del editor mientras te reprochaba la desenvoltura con la que utilizabas los datos reales, al barajarlos con visiones, zumbas y fantasías, suscitaba en tu fuero interior la inevitable pregunta
apoyado en sus bien justificadas denuncias, no había jugado también el propio Marx con fantasías ideológicas y ensueños utópicos a lo largo de su fecunda y zarandeada vida?

5

Cuando te disponías a mandar por correo el fragmento apócrifo de tu manuscrito, recibiste la visita inesperada de Anselmo Lorenzo
estaba en desacuerdo con tu presentación de los hechos, la simple exposición de sus sentimientos admirativos por Marx, sin mencionar en cambio la desilusión posterior, la triste experiencia de su participación en la Conferencia de Londres, adonde fue enviado desde Valencia por la sección española de la Alianza Democrática Socialista adherida a la Internacional

sí, era un hombre de una inmensa cultura, hablaba el castellano con fluidez y dominaba además media docena de lenguas, imposible no sentirse avasallado por él, su inteligencia y erudición empequeñecían a cualquiera y tanto más a un hombre como él, obrero autodidacta que no había tenido la suerte de los revolucionarios de origen burgués avalados por estudios universitarios y una sólida educación humanista, su sencillez y sentido de la hospitalidad le habían conmovido
cuando lo vio por primera vez a la luz de un reverbero (por cierto, no vivía en Dean Street, sino en una vivienda de clase media, en Modena Villas, no lejos de Regent's Park) parecía la figura venerable de un patriarca aureolado de barba y cabellera blancas, Jenny, su esposa, recitaba de memoria versos de Shakespeare y él le respondía con pasajes en italiano de la *Divina Comedia*!, era un juego que se traían entre ambos y lo practicaban, me dijeron, cuando salían de excursión o paseo, sobre sus hijas no tenía nada que agregar a lo escrito, su hermosura, ilustración y libertad de modales no admitían parangón con las jóvenes de ningún sitio y menos aún con las de España, todo ello le suspendía y a la vez le apenaba, pues si la sensación de armonía y dicha que recibía de aquella familia le revelaba la altura del ser humano una vez liberado de la hipócrita moral de los ricos y fanatismo religioso de las sotanas, le enfrentaba también con crudeza a la extensión y profundidad de la propia ignorancia
(te acordaste de las observaciones críticas del editor y pensaste en el reparo que no dejaría de hacerte
cómo era Anselmo Lorenzo?, su indumentaria, aspecto?
no lo olvides! el lector no quiere abstracciones! dale detalles precisos, concretos!)
pasada la primera sorpresa y admiración, el estado de gracia se prolongó durante los preparativos de la conferencia, cuando Engels le presentó a los camaradas que participarían en ella,

algunos habían asistido con él a la reunión de Barcelona y a otros como Eccarius, Vaillant y la mayoría de delegados suizos y belgas los conocía de oídas, después de la Comuna la prensa reaccionaria francesa se había cebado en Marx con encarnizamiento tratándole de monstruo, Anticristo, agente de Bismarck, enemigo del género humano y otras lindezas, se le acusaba de todo, de enriquecerse a costa de la credulidad de los trabajadores, de ser jefe de una organización francmasónica que extendía sus tentáculos por Europa y zapaba con habilidad diabólica los fundamentos de la sociedad, no la suya, la de los capitalistas y plutócratas, sino la Sociedad con mayúscula, como si no pudiera haber otra!, la prensa inglesa se desataba también contra los comuneros refugiados en Londres y algunos periódicos pedían nada menos que fueran utilizados como cobayas para efectuar pruebas de vivisección! pero nada de eso le prevenía contra Marx, antes bien lo contrario, pues los mitos fabricados por los de Versalles repugnaban a toda persona decente y, en el círculo de sus amigos, el propio autor del *Manifiesto Comunista* se esforzaba en presentar una imagen de sí mismo honesta y eficiente, así, decía, no concedía ninguna importancia al hecho de presidir la Internacional, su nombre figuraba en las proclamas y resoluciones entre los demás y tampoco se arrogaba el papel principal ni recurría a efectos demagógicos para halagar al público, en realidad, como admitían sus acólitos, prefería influir en el movimiento obrero entre bastidores e imponer gracias a sus maniobras y destreza manipuladora sus ideas y puntos de vista, a diferencia de nosotros, los de la Alianza Democrática Socialista y en particular la Sección Regional española, no compartía el optimismo de Bakunin y los socialistas no autoritarios respecto al camino abierto por la Comuna, mientras duró el alzamiento no sobresalió por su celo en favor de los sublevados y el magnífico documento que redactó al fin, la *Guerra civil en Francia*,

parecía un artículo necrológico, lleno de admiración, eso sí, por el heroísmo de sus camaradas!
(creíste oír la voz acuciante del editor
anda, descríbelo!
pero, cómo hacerlo aun a vuelapluma, sin perder el hilo de sus palabras?)
para nosotros, la Revolución no podía aplazarse a un futuro indefinido, lo acaecido en París semanas antes nos convencía de su inmediatez y urgencia, los incendios del Hôtel de Ville y otros templos del Capital iluminaban un porvenir cargado de promesas, había que renunciar de una vez a la politiquería pequeño burguesa y respeto supersticioso al Estado! no habían escrito Marx y Engels, después de la insurrección contra Luis Felipe, que las llamas de las Tullerías y el Palais Royal eran la aurora del proletariado? que la revolución europea surgiría espada en mano y revestida de deslumbrante armadura, como Minerva de la cabeza de Zeus?, uno y otro habían predicado también con el ejemplo las virtudes del voluntarismo revolucionario sin desanimarse por sus repetidos fracasos! pero su estrategia y la nuestra diferían en lo tocante al Estado! mientras nosotros exigíamos la abolición del monstruo, él defendía su conquista, la toma del poder por la clase obrera, premisa indispensable, sostenía, de su liberación económica!, todo debía cumplirse por etapas, el capitalismo había entrado en una fase crítica y nuestro papel estribaría en agudizar sus contradicciones internas, arruinar su función social progresista, ya que las dominaciones políticas, bien fueran primitivas, feudales o burguesas se desplomaban, decía, en cuanto dejaban de desempeñar la función social que el desarrollo de la producción les asignaba, entre tanto, y a fin de alcanzar dicho objetivo, Marx y los suyos argüían que el Consejo General debía coordinar las actividades de las diferentes Secciones Regionales, plantear el problema de su organización, buscar un máximo de eficacia y

consenso, unir indisolublemente el movimiento económico y su acción política, en corto, consolidar la estructura de la Internacional frente a las tendencias divisionarias, convertir el Consejo General en la palanca movilizadora de las masas!, la libre federación de secciones autónomas que integraban hasta entonces la Internacional tenía que ceder paso a un organismo autoritario y jerárquico, compuesto de secciones disciplinadas, cuya función se limitaría a aprobar a mano alzada las resoluciones del Consejo General y, a fin de cuentas, las de su presidente y futuro cacique y déspota, mi amable anfitrión Carlos Marx!
(quisiste aprovechar su silencio tras la elocuente parrafada para introducir la descripción de Anselmo Lorenzo
desdichadamente, no habías podido procurarte ninguna foto suya y lo imaginabas pequeño, moreno y de cejas espesas, tocado con una gorra y vestido del mandil usado antaño por el proletariado de la Península)
la conferencia de Londres, a la que con tanta ilusión acudía, fue una desilusión inmensa, los asalariados y obreros que asistían a ella eran una pequeña minoría comparados con los burgueses o ciudadanos de clase media y éstos llevaban allí la voz cantante, imponían sus resoluciones como en una parodia de las sesiones parlamentarias, evitaban pronunciarse en los temas de actualidad, desatendían el grito del corazón de todos inmediatamente a las barricadas!, centraban tan sólo sus esfuerzos en afirmar el predominio de un hombre allí presente, Carlos Marx, frente al que supuestamente aspiraba otro, Miguel Bakunin, ausente del proceso inquisitorial que le montaban!, había un capítulo de cargos contra él y la Alianza apoyado en documentos, declaraciones y hechos de cuya verdad y autenticidad no pudo convencerse nadie pese al testimonio del siniestro e intrigante Nicolai Isaakovich Utín sobre el pacto secreto de Bakunin con Netchaiev, cuyas fantasías y patrañas conspirativas, asesinato del

estudiante Ivanov, autoría de la carta insultante dirigida al editor ruso de *El Capital* y otros actos demenciales ponían en peligro el buen nombre y reputación de la Internacional, todo ello parecía una reedición del chisme publicado años antes por Marx y atribuido maliciosamente a George Sand según el cual Bakunin sería en realidad un espía ruso, un agente secreto del Zar! el calumniado no estaba allí para defenderse y, mientras escuchaba la reiteración de acusaciones e infundios destinados a liquidarle, no podía sino concluir que las infamias y falsificaciones de los muy honestos paladines del Orden, Religión, Propiedad, Patria y Familia tocante a la Internacional se reproducían en el interior de ésta contra Bakunin y los socialistas no autoritarios!, esa convergencia de medios no presagiaba nada bueno para el futuro poder comunista propugnado por Marx y sus seguidores pues, cómo creer en sus promesas rosadas de igualdad, libertad y democracia cuando los métodos empleados para alcanzarlas eran la negación misma de estos valores?
(el autor de *El proletariado militante* te concedió una pausa para que anotaras bien sus palabras
se había calado la gorra que tenía entre las manos y dedujiste que se disponía a partir)
escúcheme bien, porque lo que digo prefigura trágicamente lo que después hemos visto, lo único que preocupaba al Consejo General y mayoría de asistentes a la conferencia de Londres era la jefatura, el poder, el mando!, no se habían reunido allí, créame Vd., a sostener las fuerzas revolucionarias, darles cohesión y seguir una línea emancipadora consecuente, sino a poner aquella vasta asamblea al servicio de un jefe!
(se había levantado de su asiento, caminó cabizbajo hacia la puerta)
allí vi descender a aquel hombre del pedestal al que mi admiración y respeto le habían enhestado y transmutarse en un vulgar y ambicioso cabecilla de facción rodeado de secua-

ces que le adulaban y aplaudían cuanto decía como viles cortesanos delante de su señor!

6

Una vecina de la escalera llamó a la puerta y te entregó un fax
llegó hace apenas dos minutos y comencé a leerlo, dijo, pero en seguida advertí que iba dirigido a otra persona y, aunque no recuerdo bien su enrevesado apellido, pienso que el destinatario es Vd.
(era una francesa gruesa y rubia, de edad mediana, que solía imponer silencio a su marido cuando éste abría el pico con un contundente tais toi Marcel, tu est trop con! hasta que un cáncer de garganta le condujo velozmente al cementerio y acalló para siempre su voz
desde entonces, vestía de luto, iba a visitar su tumba a menudo y se complacía en repetir a quien quisiese oírla un florilegio de axiomas atribuidos al difunto con la misma unción y respeto que si citara las máximas de La Rochefoucauld!)
en los márgenes del facsímil, el misterioso corresponsal te decía que, enterado por amigos comunes de la visita de Anselmo Lorenzo, quería corroborar su testimonio con el texto de una carta suya, fechada en agosto de 1850, sobre una velada transcurrida en compañía de Marx y otros miembros de la luego disuelta Liga de los Comunistas en una tasca cercana a Dean Street, en donde consumieron (a cuenta de Engels?) una buena cantidad de champaña, oporto y clarete

> *Me dio la impresión de que poseía no sólo una superioridad intelectual única sino también una personalidad extraordinaria! si tuviese tanto corazón como inteligencia, tanto amor*

como odio, me arrojaría al fuego por él! es una lástima que este hombre no pueda poner junto a un espíritu insigne un corazón noble al servicio de nuestra causa! pero estoy convencido de que la ambición personal más funesta ha corroído toda su bondad! se burla de los necios que recitan su catecismo proletario tildándolos de comunistas a lo Willich, peor aún, de burgueses reaccionarios! no guarda consideración sino a los aristócratas, auténticos y conscientes de serlo! para arrojarlos del poder necesita una fuerza que sólo encuentra en los proletarios y los moviliza contra ellos! aunque sostenga con energía lo contrario, y quizá precisamente a causa de ello, me he ido con la neta impresión de que el motor de sus maniobras es su sed de poder personal!

Von Techow
ex teniente del ejército prusiano.

(al concluir la carta te asaltaba una duda
no fue esta misiva del ex teniente el ariete empleado por el naturalista y regente de la Asamblea Nacional de Francfort Herr Vogt en su proceso de difamación contra Marx?
en cualquier caso, como diría Thomas Gradgrind, era un Hecho! la concentración de poder, culto de la personalidad y despotismo que caracterizaban los regímenes comunistas del siglo XX, no encontraban acaso su semilla en la doctrina y temperamento del autor premioso de *El Capital*?

7

Para salir de dudas acerca de los orígenes del autoritarismo y su influencia en los crímenes y aberraciones del futuro

socialismo real no tenías más remedio que agarrar a Moro por los cuernos, entrevistar al propio Marx!
el habitáculo de Dean Street te parecía el lugar indicado, pues tu menor familiaridad con sus sucesivas viviendas, alquiladas mediante el cobro de providenciales herencias, no te permitía penetrar en ellas con el aplomo del conocedor, permanecían en este limbo abstracto que tanto contrariaba a tu estipendario
la casa era tal y como la había descrito el soplón prusiano
(carecía de retrete, baño e incluso agua corriente
la fiel Lenchen debía subirla a cubos desde la planta baja)
te internaste en la nube de humo y tabaco y vislumbraste en la pieza de recepción la mesa antigua atestada de libros, manuscritos, juguetes y labores de punto, la silla de tres patas y la cubierta aún con los guisos resecos de los críos
(sería aquella masa pringosa, amasada todavía con manos más sucias, la misma que el jovencísimo Karl obligaba a comer por juego a sus hermanas en la casa de Tréveris, según refirieron muertas de risa las interesadas a su sobrina Tussy?)
te acomodaste en la paticoja, a riesgo de caer y romperte la crisma, pero temías por la pulcritud del pantalón recién adquirido en saldo
(esta vez te adelantaste a las instrucciones perentorias del editor
tenías a mano el retrato del sociólogo e historiador Kovalevsky y lo copiaste con celeridad

> de cabellera negra y poblada, manos sombreadas de vello y chaqueta abotonada de través, Marx ofrecía el aspecto, no obstante la singularidad de su figura y gestos, de un hombre con el derecho y poder de imponer respeto
> sus ademanes torpes pero llenos de seguridad y audacia, sus modales opuestos a toda etiqueta pero cortantes y con una pizca de arrogancia, su voz brusca y

metálica armonizaban curiosamente con los juicios categóricos que emitía sobre hombres y cosas
hablaba siempre en términos imperativos sin admitir contradicción alguna y en un tono cuya vivacidad sorprendía penosamente, embebido en la firme creencia en su misión de dominar los espíritus y dictarles sus leyes)

Moro había dado una simple ojeada a tus páginas con el testimonio de Anselmo Lorenzo

el buenazo de Anselmo! un obrero de verdad, con un corazón de oro, modales toscos y bondad de intención sólo comparable en magnitud a su supina ignorancia! la presa ideal de las teorías y discursos inflamados de Bakunin! su compatriota José Mesa era de otro fuste, él se esforzaba al menos en asimilar los principios del socialismo científico, pese a su amistad con Lafargue! pero el buen Anselmo no quería oír hablar de análisis políticos sino de barricadas, como aquellos menestrales que, según le contó Jenny, se quejaban de su altanería, le acusaban de jugar con las ideas, adornarse de un nimbo de sabiduría y situarse por encima de los mortales! conozco tan bien como Vd. las opiniones de Kovalevsky y Guillaume sobre mi presunta actitud soberana e ínfulas de dictador democrático! patrañas y sólo patrañas como las del desdichado Moll al atribuirme la intención de fundar una especie de aristocracia de letrados y dirigir al pueblo desde lo alto de un trono divino! gentes incapaces de comprender mi doctrina y la base científica que la sustentaba! las visiones utópicas y delicias de la sociedad posrevolucionaria tenían que impresionar fatalmente a los miembros de sociedades atrasadas como Italia y España, verdadero caldo de cultivo para los carbonarios, mesianistas e iluminados! era risible y patético ver a aquellos representantes de un universo predominantemente agrícola y en el que la industrialización daba los primeros pasos señalar el camino a seguir, con la mayor ingenuidad y buena fe del mundo, a los trabajadores de las grandes sociedades industriales! como en los tiempos del caritativo y calenturiento Weitling o el filántropo Techow, pretendían fundar su movimiento en impulsos morales en vez de asentarlo en un análisis riguroso de las leyes económicas de la sociedad! el romanticismo revolucionario y tradición conspiratoria de los países de la periferia europea encontraban en un personaje como Bakunin el líder perfecto y soñado! las diferencias entre él y el ruso no provenían de rivalidades personales ni incompatibilidades de carácter como afirmaban y afirman aún los anarquistas e historiadores mostrencos! derivaban del enorme desfase existente entre las tareas históricas que se imponían al proletariado de los países capitalistas avanzados y las ilusiones que dominaban necesariamente a los semiproletarios de las naciones en donde el capitalismo comenzaba apenas a desenvolverse! éste era el fondo del asunto y no las interpretaciones sicológicas de los autotitulados partidarios de un socialismo no autoritario! pues si volvemos a la conferencia de Londres, que es lo que a Vd. le interesa, observaremos en seguida el contubernio y provocaciones de los bakuninistas, sus ataques infundados e injustos al colaboracionismo bismarckiano de Bebel y Liebknecht no obstante las persecuciones judiciales del poder prusiano, sus maniobras de baja estofa contra la supuesta dictadura del Consejo General y el intento de dominar las Secciones Regionales so pena de provocar la división y ruina de la Internacional! Vd. parece creer, como el bueno de Anselmo, que Bakunin era un anarquista puro y sin mácula, defensor de los métodos democráticos y azote del autoritarismo cuando encarna al contrario el ejemplo más claro de los extravíos y abusos del movimiento revolucionario utópico e inmaduro! conoce Vd. por ventura la carta que dirigió a Guillaume a propósito de su entonces protegido y dilecto discípulo Netchaiev?

tú: no
él: pues permítame que le lea un párrafo
(revolvió el amasijo de papeles de la mesa hasta dar con la fotocopia que buscaba
fotocopia?, gimió el editor)
Netchaiev es el modelo de estos jóvenes fanáticos que no dudan de nada ni temen a nada, partiendo del principio de que muchos, muchísimos deberán perecer en manos del gobierno burgués hasta que el pueblo se alce!
(fruncía las cejas con aire burlón)
él: magnífico, no?
(tú espulgabas en la memoria la carta que Moro había escrito a Jennychen en abril de 1881 sobre los agitadores revolucionarios rusos, gentes extraordinariamente capaces, decía, sin poses melodramáticas, simples, heroicos, objetivos
qué diferencia había entre ambas declaraciones exaltadas?)
él: según Bakunin, ese desequilibrado y los de su pelaje, son seres admirables, creyentes sin Dios y héroes sin frases!
(se ajustó el monóculo a la órbita derecha para medir el efecto de sus palabras
una idea te cruzó como un relámpago
quién le había procurado una copia del documento? algún espía infiltrado en el círculo de amigos de James Guillaume o un agente de la KGB?)
él: qué le parece? ni Pol Pot ni los senderistas alumbrados podrían expresar mejor sus ideas! en cuanto a su *Catecismo revolucionario*, del que quizá haya oído hablar, no tiene desperdicio! algunos de sus diálogos instructivos son verdaderas perlas!
(echó mano al libro con evidente regocijo)
PREGUNTA: cuáles son los mejores medios de precipitar la Revolución en Rusia?
RESPUESTA: como el fin santifica los medios, los peores serán los mejores!

él: vaya ejemplo de solidez y espíritu crítico! ni el buen Anselmo ni sus paisanos podrían entender otro lenguaje! las resoluciones de la conferencia de Londres no se imprimían en la ardiente gelatina de sus cerebros! qué significaba para ellos lo de «en su lucha contra el poder colectivo de las clases poseedoras, el proletariado no puede actuar en cuanto clase sino convirtiéndose en partido político claro y distinto, opuesto a todos los viejos partidos creados por las clases que defienden el capitalismo, y dicha transformación del proletariado en partido político es indispensable al triunfo de la revolución social y su fin supremo, la abolición de clases»? era como hablarles en griego de los descubrimientos de Arquímedes! los efectos desastrosos de la lucha y represión anticomunera, la muerte, dispersión y destierro de la auténtica elite revolucionaria, favorecieron la propagación de las tesis blanquistas y bakuninistas no sólo en España e Italia sino en la misma Francia! nadie entendía allí las leyes de la economía ni se ocupaba en estudiar mis libros, ni siquiera mi yerno Lafargue! él y los demás oráculos patentados del socialismo científico eran en realidad discípulos retrasados de Bakunin y su endeblez ideológica les hacía oscilar, como a Guesde y, después de él, a toda una cáfila de políticos profesionales, entre un izquierdismo en agraz y posiciones abiertamente socialdemócratas! la disolución paulatina de mis premisas y renuncia a un enfrentamiento decisivo con el poder político de la burguesía desde el momento en que ésta no era ya el motor sino un obstáculo al desarrollo social, llevaban de modo inevitable a contentarse con la satisfacción de reivindicaciones salariales, derechos políticos y supresión de las medidas restrictivas a la libertad sindical! el auge ocasionado por la explotación colonial mejoraba el nivel de vida de los obreros ingleses y los liberales consiguieron uncir con éxito la causa de los sindicatos a sus proyectos reformistas burgueses! y así, mientras nadie prestaba

atención aquí a la lucha política y nuestras declaraciones de solidaridad con la Comuna y los patriotas de Irlanda nos marginaban poco a poco y reducían a un papel casi testimonial, las fantasías incendiarias y utópicas ganaban terreno en el continente y contribuían a alejar con sus excesos el triunfo de la empresa revolucionaria! tal fue la razón, señor mío, después de la conferencia de Londres, de la agonía y muerte de la Internacional!
(cómo diablos escribir el sonido violento de un CRAC?)
justo en aquel instante la silla paticoja sucumbió y diste con los huesos en tierra en súbito y espectacular batacazo!
Marx se excusó, no sin maliciosa ironía del estado de sus muebles y Jenny se precipitó a ayudarte desde la pieza vecina, en donde copiaba y ponía en limpio las obras de su marido
ella: vaya susto! se encuentra Vd. bien?
tú: perfectamente señora, todo ha sido torpeza mía!
(furioso contigo mismo, te despediste con prisa lamentando, dijiste, haberles robado una hora de su precioso tiempo
según te percataste luego, una pregunta tuya había quedado desdichadamente en el tintero
eran las leyes del materialismo científico tan intangibles como las de Kepler o Newton o, como los neptunianos estudiosos de los sedimentos marinos convencidos de que la tierra se formó por una precipitación de las aguas, su autor confiaba a ciegas en la agudización de las contradicciones de clase, calculando el momento de la revolución como si de la formación de estratos geológicos se tratara?
no viste el televisor mencionado en la primera parte de tu manuscrito, pero escuchaste al salir, procedentes de la cocina, los suspiros y movimientos ajetreados de la fiel Lenchen)
efecto del golpe, aturdimiento, espejismo?
en el piso bajo del 28 de Dean Street había un moderno restaurante especializado en pizzas y otros portentos de ecuménica inventiva italiana!

8

Recibiste por mensajero urgente una carta de tu editor
sería el cheque de tu mensualidad?
rasgaste el sobre con dedos temblorosos y hallaste sólo una nota a mano en la que anunciaba la visita inmediata de su asesor en compañía de una tal Ms. Lewin-Strauss, feminista, sexóloga y profesora en UCLA, especializada en el estudio de la familia Marx
la inmediatez de la cita no te concedía por desgracia la posibilidad de prepararte a resistir de manera adecuada el previsible asalto de preguntas de la misteriosa doctora californiana
ésta entró al cabo de poco como Farrow por su casa
(se parecía mucho a la actriz ex favorita de Woody Allen)
y, sin pedirte permiso, examinó brevemente las cuartillas de tu texto desparramadas sobre la mesa
(el asesor permanecía en segundo término, algo cohibido, otra vez diminuto y con gafas)
Ms. Lewin-Strauss (irónica): Lenchen, Lenchen, la fiel Lenchen! no ha dado Vd. con otro modo de definir su condición fuera de esa etiqueta paternalista y sobada?
tú: bueno, en realidad me he limitado a reproducir lo que escriben los historiadores, basándose en testimonio unánime de la familia y sus amistades
Ms. Lewin-Strauss (severa): no se le ha ocurrido a Vd. escudriñar, bajo el clisé, la explotación despiadada de una mujer de clase humilde, sirvienta desde la edad de siete años en la casa de Jenny, por la muy aristocrática progenie de Ludwig von Westphalen?
tú: bueno, algo de eso hay, pero por mucho que he buscado en los archivos y cartas de la época, no he descubierto una sola queja respecto al trato que recibía, muy al contrario,

y en ello coinciden todos los testimonios, fue siempre considerada como un miembro de la familia!
Ms. Lewin-Strauss (sarcástica): y ello le basta?
tú: bueno, como la misma Lenchen
Ms. Lewin-Strauss (sarcástica): deje Vd. de una vez esa muletilla de *bueno*! no sabe Vd., si ha leído a Marx en serio, que resulta objetivamente imposible denunciar la alienación a partir de una existencia típicamente alienada? cómo definiría el caso de una sirvienta que se dejaba sablear por ese caradura de Lafargue y, tras cuarenta y dos años de leales y abnegados servicios a la familia Marx y luego a Engels, dejó como única herencia a su hijo la irrisoria suma de 95 libras?
tú: bueno, lo que quería decir es
Ms. Lewin-Strauss (despectiva): el fundamento de la civilización según Marx consiste en la explotación de una clase por otra y su dinámica procede justamente de la contradicción permanente entre ambas!
(sacó del bolsillo de su anorak un ejemplar del *Anti-Dühring*, con prólogo de Godelier)
Ms. Lewin-Strauss (suave): todo progreso de la civilización implica así un progreso en la desigualdad, pero estos cambios son de ordinario graduales, imperceptibles y desembocan en formas complejas de jerarquía social, en clases de contornos fluidos, ya que es difícil determinar el punto en el que la función cesa y la explotación comienza, en el que el servicio prestado recibe a cambio menos de lo que vale! conocía Vd. la exégesis de este preclaro estudioso marxiano?
tú: probablemente lo habré leído, pero
Ms. Lewin-Strauss (incisiva): y no advirtió Vd. la relación existente entre ella y la explotación vitalicia de su fiel Lenchen?
tú: la verdad es que el amor y devoción que mostró en los momentos más duros

Ms. Lewin-Strauss (implacable): Vd. olvida que en una familia patriarcal como la de Marx la división del trabajo se crea en función de las diferencias de sexo y edad, en criterios fisiológicos no filosóficos! el paterfamilias se hacía servir por las mujeres, se descargaba en ellas de las tareas más bajas, les confiaba incluso la búsqueda de medios de subsistencia mientras él escribía sus obras redentoras en la calma del Museo Británico, participaba en una lucha emancipadora exclusivamente masculina y se arrogaba para colmo el derecho de pernada!
asesor (sobresaltado): el derecho de pernada?
Ms. Lewin-Strauss (triunfante): sí, el ancestral derecho de pernada! no se contentaba con explotar la ignorancia de Lenchen ni hacerle siete hijos a Jenny! tenía que preñar además a la criada!
asesor: yo no sabía nada de eso!
(se volvió a ti con visible desconcierto)
asesor: estabas tú al corriente?
tú: sí, claro, pensaba tratar del tema más tarde porque el enigma
Ms. Lewin-Strauss (jubilosa): no hay ningún enigma! lo pudo haber en su tiempo, cuando sólo se conocía la carta de Marx a Engels sobre un nebuloso asunto tragicómico del que debía hablarle, y le habló sin duda, de viva voz! Lenchen estaba encinta y se negaba obstinadamente a revelar el nombre del padre, Jenny empezaba a sospechar del marido y, para salvar el matrimonio y el honor del comunismo, Engels apechó con la responsabilidad del bastardo! Frederick Demuth, el verdadero apellido de Lenchen, fue enviado a un ama de cría y permaneció toda la infancia con los padres adoptivos! Engels en persona, según contó su secretaria Louise Kautsky al dirigente socialista August Bebel, escribió en su lecho de muerte sobre una pizarra «Frederick Demuth es hijo de Marx»

asesor: jolines! pues no tenía ni idea!
a fin de contrarrestar el efecto negativo de las revelaciones en su futura apreciación de la novela, le explicaste que se trataba de un piadoso escamoteo, los hagiógrafos de Marx para evitar el cargo de parcialidad, hablaban indulgentemente de borracheras juveniles y pinitos poéticos, se detenían con terneza en los poemas cursis a Jenny y llegaban a evocar como prueba irrefutable de su independencia su periplo tabernario con Edgar Bauer y Liebknecht, periplo jalonado de una alegre pedrea a las farolas londinenses hasta que la llegada de la policía puso en fuga al trío y obligó a correr con inesperada ligereza al descubridor del socialismo científico! pero lo del hijo era demasiado grave, su pareja modelo con Jenny debía mantenerse intocable! Engels quemó a la muerte de Marx una buena parte de su epistolario y el que llegó a la posteridad fue cuidadosamente censurado por Bebel y Bernstein! los historiadores marxistas formaban un gremio que convertía a los héroes del santoral comunista en verdaderos Padres de la Iglesia! así Brejnev, en sus inefables memorias, confesaba haber disparado con tirachinas a los gorriones y ser aficionado a los raviolis pero omitía toda referencia a su mucho más interesante y reveladora manía de coleccionista de Rolls, Jaguar, BMW, Mercedes Benz y otros blasones de la industria automovilística ofrendados por sus pares en sus visitas al mundo capitalista!
(él te escuchaba, limpiándose las gafas y se esponjó poco a poco al calor de una idea brillante)
asesor: qué materia genial para una novela! la seducción de la pobre Lenchen, las dudas de Jenny, la increíble vida de Marx en aquel cuchitril con dos mujeres embarazadas!
Ms. Lewin-Strauss (glacial): las lectoras estamos hartas de ficciones biográficas en torno a un héroe masculino, con las mujeres enclavadas en su papel tradicional de víctimas y comparsas justo en el momento en que el concepto mismo de

masculinidad hace agua y se pone en todas partes en tela de juicio!
con ánimo de contratacar
(tu novela corría serio peligro!)
buscaste en el rimero de tus obras de consulta el testimonio irrecusable de Wilhelm Liebknecht
tú (leyendo): Marx no intentaba siquiera imponerse a ella, Lenchen conocía todos sus caprichos y flaquezas y podía metérselo en el bolsillo cuando le daba la gana! si estaba furioso y despedía tales rayos y centellas que nadie se atrevía a acercarse a él, entraba en la jaula del león y le hablaba de tal modo que se volvía manso como un cordero!
(hiciste ademán de tender el libro a la doctora pero no se dignó tocarlo
el asesor lo cogió ávidamente)
tú: como ve, las cosas no eran tan simples!
Ms. Lewin-Strauss (olímpica): el hombre iracundo y la mujer que lo apacigua con mañas femeninas! no se cansa Vd. de reproducir a cada paso los peores estereotipos sexistas?
tú: su opinión no es un tanto anacrónica? en tiempos de Marx
Ms. Lewin-Strauss (contundente): justamente me refería a ello! este burgués esclarecido, que describió y condenó con elocuencia las condiciones de vida de los trabajadores y atropellos de la burguesía durante la Revolución industrial, no reparó en ningún momento en la doble explotación de las mujeres, condenadas no sólo a jornadas extenuantes en fábricas y talleres sino a cumplir un papel servil en el seno de la familia patriarcal por una supuesta ley de la naturaleza! él, que denunciaba con horror la alienación capitalista era incapaz de ver la que imponía en su propia casa!
tú: algunos historiadores ponen en duda la autenticidad del testimonio de Louise Kautsky! su original no existe y sólo se conserva una copia con detalles manifiestamente erróneos

como el de la presunta fuga de Jenny a Alemania o el distanciamiento sexual de la pareja en unos años en los que la promiscuidad reinante en Dean Street y embarazos de Jenny desmienten la verdad de tales afirmaciones!
Ms. Lewin-Strauss (toda mieles): si Moro no fue el padre quién lo fue? no pretenderá Vd. que fue concebido por obra del Espíritu Santo! el aspecto típicamente judío de Frederick Demuth y sus cabellos negros no le debían nada a Engels! a menos que, para salvar la buena fama de Marx, no sostenga Vd. como Heinz Monz y otros fundamenmachistas marxianos que su fiel Lenchen era la puta de la compañía y se acostaba con cualquiera!
tú: mire Vd. señorita
Ms. Lewin-Strauss (ultrajada): no me llame Vd. señorita! si quiere Vd. dialogar con una mujer consciente purgue primero su vocabulario!
tú: bueno, doctora, o lo que Vd. prefiera
Ms. Lewin-Strauss (grávida de autosuficiencia): escúcheme bien! el sistema creado por su personaje no liberó a las mujeres de clase humilde de su doble y asfixiante alienación! antes bien, prolongó su explotación por gobiernos compuestos exclusivamente de hombres y las mantuvo sometidas en la práctica al yugo doméstico, a la rutina de guisar, coser, fregar, candar el pico y parir hijos a riesgo de morir en el intento! tal fue el destino de su fiel Lenchen y la ejemplar Jenny, dos vidas sacrificadas a la obra magna de su idolatrado señor!
(querías protestar, replicar a su saña demoledora del libro e inopinadamente te sobresaltó el timbre del despertador!)

9

Cielos! habías vuelto de nuevo a las andadas, multiplicado en situaciones inverosímiles, entreverado espacios y tiempos, seguido el camino de tu imaginación desbocada, prolongado el impublicable manuscrito!
te parecía ver al editor, instalado en su despacho con la chaqueta de tweed, el recortado bigote y la pipa de cultivada estampa faulkneriana mientras apuntaba con dedo fiscal a las condenadas cuartillas
manda a paseo a los eruditos y profesores que hablan de Baudrillard o Bajtín y celebran tus cronotopos! olvídate de ellos y ocúpate de una vez en los lectores! los juegos de escritura y mise-en-abyme (se dice así?) les dejan indiferentes! lo que exigen a gritos son sentimientos, pasiones, diálogos y escenas realistas, hechos, Hechos!
qué hacer?
las cuentas del alquiler, gas, agua, electricidad, colmado, farmacia se acumulaban en la repisa de la entrada exactamente como en Dean Street y ninguna fiel Lenchen podría defenderte del acoso de los zorros hambrientos!
(el paralelo te llenó fugazmente de orgullo
la manifiesta improductividad de tu texto no evocaba acaso la de los *Grundrisse* y *Teorías sobre la plusvalía*?
a fuerza de escribir sobre él, no te estarías identificando de forma abusiva con Marx?)
pero, de vuelta a tierra, una lectura desapasionada y fría de la novela te sumía en honduras de tristeza y pesimismo
la rechazarían?
el editor quería Hechos, Hechos y Hechos!
para asegurarte el cobro de las últimas mensualidades y calmar su impaciencia, resolviste copiar la carta de Jenny a su amigo Weydemayer fechada en 1850, antes de la mudanza

de la familia a la fatídica Dean Street, presentándola sin sonrojo como de tu propia cosecha!
un capítulo en primera persona, en forma de relato de Möhme, la abnegada y firme esposa de Marx!

10

Le describiré solamente un día de esa existencia, sin quitar ni añadir nada y verá que a pocos refugiados les ha tocado vivir algo parecido
como las amas de cría cuestan un ojo de la cara, resolví amamantar yo misma a mi hijo no obstante los terribles dolores de pecho y espalda que sufro de continuo
pero el angelito bebe con mi leche tantas ansiedades y aflicciones que su salud descaece y pena día y noche
desde que vino al mundo, no ha dormido más de dos o tres horas seguidas y ha tenido en esos últimos tiempos convulsiones violentas, de modo que el infeliz está constantemente entre la vida (esa sombra de vida!) y la muerte
en sus espasmos succiona tan fuerte que mis pechos se han inflamado y cubierto de grietas
(a menudo escurre la sangre de su boquita temblorosa!)
una vez, estaba amamantándole, cuando apareció nuestra mesonera aunque le habíamos pagado más de 250 thalers durante el invierno y convinimos con ella en entregar el resto al propietario, ella negó la existencia del acuerdo y exigió las 5 libras que adeudábamos
como no las teníamos, irrumpieron en casa dos alguaciles, se apoderaron de mis escasos bienes, colchones, ropa blanca, vestidos, la cuna de mi pobre niño y juguetes de mis hijas
(que lloraban a lágrima viva)

y amenazaban con llevarse el resto dos horas más tarde!
qué más remedio entonces sino acostarme a suelo duro con mis criaturas transidas de frío y los pechos en sangre!
S., nuestro amigo, se apresura a salir por el dinero, brinca a un coche de punto, los caballos tascan el freno, salta despedido del carruaje y lo traen malherido a casa, en donde me desesperaba con los pequeñuelos
debíamos abandonar el hogar el día siguiente!
el tiempo es frío, lluvioso y cerrado, mi marido busca una vivienda pero, cuando habla de cuatro hijos, nadie quiere aceptarlos, al fin un amigo acude a socorrernos, pagamos y corro a vender todas mis camas para abonar al boticario, panadero, carnicero, lechero, a quienes el escándalo del embargo había vuelto locos y nos asaltaban con sus facturas y cargos
sacaron las camas vendidas, las amontonaron en un carro y qué sucede? el sol se ha puesto entre tanto y la ley inglesa prohíbe desahuciar después del crepúsculo, el dueño reclama la presencia de agentes de policía, pretende que nos llevamos tal vez objetos suyos, que huimos al extranjero!
en menos de cinco minutos, doscientas o trescientas personas, todo el hampa de Chelsea, se había congregado a curiosear frente a nuestra puerta!
devolución de las camas, el comprador ha de esperar hasta que amanezca y, cuando la venta de nuestro mísero ajuar permite liquidar las deudas hasta el último céntimo, llego con mis hijitos al dos piezas que ahora ocupamos en el hotel alemán de 1 Leicester Street y en el que por cinco libras a la semana nos han acogido humanamente
no crea que estas desdichas sórdidas me hayan abatido, sé de sobras que nuestra lucha no es aislada y soy afortunada y feliz pues mi esposo querido, sostén de mi vida, permanece a mi lado
lo que me hace sangrar el corazón y de verdad me abruma es que Moro deba aguantar semejantes mezquindades siendo así que con muy poco habríamos podido salir de apuros, es ver sin ayuda

a un hombre como él que generosamente ha socorrido a tanta y tanta gente!
no deduzca de ello, querido señor W., que reivindicamos derecho alguno
la única cosa que mi marido hubiera podido aceptar de quienes recibieron de él ideas y aliento habría sido una mayor actividad y energía tocante a su revista, soy lo suficientemente orgullosa y sincera para afirmarlo
eso, al menos, se lo debían
pero él piensa de otro modo e incluso en los momentos más duros no ha perdido su buen humor ni confianza en el futuro!

11

Reacciones posibles a la lectura del pasado capítulo
editor: magnífico!
Ms. Lewin-Strauss: deplorable
(imaginabas a los dos acomodados en tu habitación, ella con su anorak entreabierto, él con su impecable atavío faulkneriano)
editor: éste es el buen camino! has dado en el clavo y no en la herradura, como en tus anteriores intentos! el retrato de la vida siniestra en Soho, acoso agresivo de los acreedores, búsqueda febril de medios de subsistencia, empeño de muebles, visitas al Monte de Piedad, amenazas de los comisionados de apremios, problema diario de la leche, pan y carbón! todo el calvario de esta aristócrata alemana sensible y culta, expulsada de un país a otro, puesta de patitas en la calle con sus hijos y hasta arrojada a la celda oscura de una comisaría de Bruselas en compañía de rateros, mendigos y prostitutas por el único delito de compartir los ideales

del marido, de ser la fiel compañera del cerebro del movimiento comunista internacional!
Ms. Lewin-Strauss: mi opinión, lo siento, es diametralmente opuesta! no digo con ello que el relato de la miseria de Jenny no me conmueva ni que sus vicisitudes y penas me dejen de hielo! con todo, un novelista auténtico debería trascender la mera anécdota, calar en el fondo del consentido papel de la víctima!
editor: evoca las circunstancias atroces de la muerte de Guido, Franziska, del pequeñuelo y adorado Musch! relee a Dickens, los magistrales cuadros sociales de Dickens, embébete de ellos, adopta su estilo, busca la vía del corazón!
Ms. Lewin-Strauss: el amor es muy bello, pero exige reciprocidad, absoluta igualdad entre los sexos! y, qué ocurre con Jenny y el Genio? es ella quien se sacrifica, vende sus bienes no obstante las cláusulas estipuladas en el contrato de bodas, acepta seguirle por el mundo como un borrego, copia sus ilegibles manuscritos, da la cara por él a los prestamistas y usureros, se deja preñar siete veces sin decir ni pío! desde el comienzo, su suerte está echada! qué cabe esperar de una muchacha que escribe a su futuro marido «nuestro destino no nos permite intervenir activamente en la rueda de la Fortuna, por culpa de doña Eva estamos condenadas a la pasividad, a esperar, confiar, tener paciencia, sufrir, tal es nuestra suerte»? cómo explicar esta resignación fatalista en la esposa de un revolucionario enfrentado a los abusos y crímenes de la sociedad?
editor: el mundo de David Copperfield, la pobreza extrema, cambios de sino, estratagemas para sobrevivir! las colectas de ayuda, sablazos a Engels, legados de parientes y amigos, la herencia de Carolina von Westphalen y, por fin, de la madre de Marx! qué aceleración y movilidad de sucesos, cosas y bienes! la combinación de dramas y venturas súbitas apasiona a los lectores! si te atuvieras estrictamente

a ella proporcionarías incluso materia a una excelente adaptación televisiva, imaginas? una superproducción internacional!
Ms. Lewin-Strauss: Jenny no se liberó siquiera como sus hijas, sobre todo Tussy, de los prejuicios sociales burgueses! en una velada organizada por la Unión de Trabajadores alemanes exiliados en Bélgica después del 48, no quiso saludar a Engels porque iba acompañado de su amiga irlandesa, una simple obrera de su fábrica! toda la vida corrió tras una fachada de respetabilidad de cara a su familia aristocrática! mientras Karl se refugiaba en la calma del Museo Británico y echaba de vez en cuando una cana al aire ella se desvivía con Lenchen para salir adelante y presentar una apariencia de middle-class!
editor: escúchame bien! por poco que te esfuerces, el tema reúne todos los ingredientes de un gran éxito de ventas! a condición, claro está, de que te olvides de tus juegos y vayas, como los más jóvenes, directamente al grano! tienes una ocasión de oro de salir del pequeño círculo en el que te encierras y darte a conocer a un público infinitamente más vasto!
Ms. Lewin-Strauss: la propia Jenny, al final de sus días, tuvo que admitir el fracaso y alienación de su existencia
(revolvió en los bolsillos de su anorak, cuidando de mostrar con la blusa desabrochada su rechazo altivo de los sostenes y sacó la fotocopia de un texto manuscrito de la esposa de Marx)
Ms. Lewin-Strauss (lectora): la parte que nos corresponde a las mujeres en todas las luchas es la más dura por ser la más modesta! el hombre se foguea en los combates con el mundo exterior y la vista de sus enemigos, aunque sean legión, le infunde energía! nosotras, nos quedamos en casa a coser calcetines! esto no nos evita las cuitas y la monótona existencia diaria roe lenta, pero implacablemente nuestra ale-

gría de vivir! hablo de más de treinta años de experiencia y puedo afirmar que no me dejo postrar con facilidad! con todo, soy demasiado mayor para forjarme ilusiones! me temo que para nosotros, los viejos, no haya gran cosa que esperar!
tú (interviniendo al fin): a pesar de estos testimonios existen muchos otros que prueban la preocupación de Marx por el futuro y felicidad de sus hijas!
Ms. Lewin-Strauss: se refiere Vd. a su carta a Engels de 1854 en la que exclama «Beatus ille quien no tiene familia»?, a su significativo malhumor cuando Jenny, en su quinto parto, poco después de la muerte de Guido, dio a luz una niña en vez del ansiado varón? o quizá, tras la increíble falta de tacto en su respuesta a la carta de Engels en la que le anunciaba el fallecimiento de su amiga Mary Burns, de achacar su monstruosa insensibilidad al peso de los problemas domésticos y a la naturaleza irracional de las mujeres, esto es, al mal humor y depresiones de su querida Jenny?
tú: la amargura de esos años de miseria en Dean Street y la precariedad de sus medios de subsistencia explican lo de beatus ille! puestos a sacar citas, a veces fuera de contexto, me permitirá que le lea ésta de Moro a su futuro yerno Lafargue
(como obedeciendo a tu voluntad, el pesado volumen de la *Correspondencia* se abrió en la página exacta, con la frase buscada llamativamente resaltada en negritas conforme al modelo de los cronistas de sociedad)
tú (enfático): Vd. sabe que he sacrificado mi entera fortuna a la causa revolucionaria y no lo lamento! al contrario, si tuviese que empezar de nuevo, haría lo mismo! pero no me casaría! en la medida en que dependa de mí, quiero salvar a mi hija de los arrecifes en los que se malogró la vida de su madre!
Ms. Lewin-Strauss: palabras, palabras, palabras! buenas in-

tenciones inmediatamente barridas por el choque con la realidad! todas sus hijas sufrieron el destino de Jenny y la que no se casó con seudo revolucionarios profesionales, unió su destino a un cínico estafador! los tres niños de Laura murieron a causa de la incuria e incompetencia de ese mal galeno Lafargue y, en cuanto a la vida desdichada de Jennychen, ella misma la resume gráficamente en su intercambio epistolar con Tussy!
(tentó los diversos bolsillos del anorak mientras, adrede o no, lucía la preeminencia magnánima de sus pechos)
Ms. Lewin-Strauss (cartas cantan): no veo ni oigo a nadie más que el lechero, carnicero y vendedor de verduras! creo que la embrutecedora rutina del trabajo en las fábricas es menos mortal que las inacabadas faenas domésticas! estoy sin noticias del mundo y anhelo a diario la lectura de periódicos de Londres que me mantienen en comunicación con los seres que viven y luchan fuera de la prisión llamada hogar!
tú: bien, tomemos el caso de Eleanor
Ms. Lewin-Strauss: el asunto no es éste! resulta inútil andarse por las ramas y perderse en detalles porque el problema no es individual ni sicológico sino filosófico y doctrinal! la teoría marxista según la cual la igualdad sexual de las mujeres sería el resultado de su independencia económica privilegiaba la lucha de clases a expensas de la de las relaciones de poder entre mujeres y hombres! la liberación de la mujer, pretendía Engels, sería el fruto de los cambios objetivos de la sociedad! pero ni uno ni otro compadres apuntaron a la necesidad de que las mujeres tomaran parte activa en el proceso emancipador! el poder desigual entre los dos sexos en la sociedad capitalista se esfuma acaso milagrosamente con el triunfo de la Revolución? que pasó en la URSS con Alejandra Kollantai y las feministas mencheviques? los marxistas ortodoxos aplicaron al pie de la letra las recetas e ideas de su fundador! las desventuras de Jennychen y Lau-

ra no eran el resultado, como creían ellas mismas, de unas circunstancias personales sino la consecuencia de su sometimiento a la sociedad masculina que las aplastaba!
editor (contrariado por el giro de la conversación): dejémonos de abstracciones e ideas! lo que importa ahora es el cuadro humano de la familia Marx! las contradicciones, apuros, dramas de ese erróneo pero extraordinario Mesías laico! su doble existencia, privada y revolucionaria! su personalidad deslumbradora, polifacética! he aquí el tema de la novela! no lo olvides, majo, esta es tu última oportunidad!
(se desvanecieron los dos en menos de lo que se trinca a un mosquito, dejando en la habitación un molesto olor a pipa y el recuerdo más grato de una desafiante blusa sin sostenes, cubierta abruptamente por el anorak).

12

Fuiste a Grafton Terrace, adonde la familia se había mudado en marzo de 1856, gracias a la herencia legada por la madre de Jenny
situada en las afueras de Hampstead Head, forma parte de un barrio nuevo, de casitas individuales, en la linde de la ciudad y el campo
todo parece una edición miniatura de los barrios aristocráticos, las comunicaciones con el centro son malas y Marx debe cumplir un trayecto a pie de tres horas diarias para ir y volver del Museo Británico
(un commuter peatonal, evocaba humorísticamente Laura)
pero después del infierno de Dean Street, Jenny y sus hijas creen gozar de la gloria del paraíso
los frescos y verdes prados en los que pacen corderos, cabras

y caballos contrastan nítidamente con los contornos imprecisos de la ciudad esfuminada por el humo y la niebla
(la vivienda, ha escrito Jenny a su hermanastro Fernando, uno de los pilares del execrado régimen prusiano, se compone de un sótano con cocina, lavadero y breakfast-room, un piso bajo de dos salones, un primero con una habitación espaciosa, dormitorio y alacena, un segundo de disposición idéntica y, arriba, una vasta buhardilla para almacenar maletas y cajas
el jardín trasero es minúsculo, pero da para instalar un gallinero)
después de perder el camino y enfangar tus zapatos en los barrizales de Maitland Park, diste finalmente con la casa, subiste los ocho peldaños de la escalera de piedra noble
(imaginabas la cabezada aprobadora del editor ante esta súbita precisión de detalles)
llamaste a la puerta y aguardaste la llegada de Lenchen para anunciar la visita a su señora
(aunque el mobiliario de los salones, comprado de lance, formaba una mezcla extraña de rococó y baratillo, el conjunto parecía confortable)
Jenny apareció poco después
siéntese, por favor, en el sofá estará más cómodo!
(el retrato, coño, conminó el editor)
la «chica más guapa de Tréveris», «reina de los bailes», «criada en una hermosa mansión rodeada de jardines», según los cronistas de la época, era de piel suave y blanca, rostro ovalado y bello, ojos grandes y zarcos y llevaba el cabello rubio recogido en bucles, con un moño artísticamente aderezado como en sus tiempos juveniles renanos
vestía con elegante descuido un traje escotado que le descubría los hombros
Lenchen permanecía de pie junto a ella y las oíste cuchichear en alemán sobre ti

(no serías tú ese señor de quien le había hablado Jennychen, que pasaba el tiempo escribiendo sobre ellos y hurgando sus vidas?)
tiene Vd. la palabra, dijo con voz dulce, soy toda oídos!
trabándote la lengua, le expusiste a grandes rasgos tu proyecto, querías mostrar que en el momento mismo del entierro del comunismo y quiebra de su sistema, cuando la doctrina del marido había caído en el mayor descrédito y el mundo entero se sometía de grado o por fuerza a la dura lex, sed lex del monetarismo y la libre empresa, el presunto salto adelante era simultáneamente un salto atrás, que las cosas habían vuelto al punto de partida del apogeo burgués de la Revolución industrial! las cuatro quintas partes de la humanidad vivían en condiciones de pobreza, millones de niños perecían de hambre en medio de sauria o reptil indiferencia, enardecido por sus victorias y muerte del enemigo el capitalismo reinante en Europa y América seguía siendo, como admitían sus críticos más lúcidos, salvajemente destructivo, fundado en el provecho inmediato y olvido de responsabilidades cívicas y, mientras nacionalismos agresivos, luchas interétnicas y purificaciones raciales se extendían del mundo subdesarrollado al corazón del europeo, todos asistíais impotentes al despilfarro de sus absurdos presupuestos militares, pillaje de naciones y continentes enteros, devastación sistemática del planeta con sus mares contaminados y bosques enfermos!
la desaparición del sistema marxista como forma de gobierno, no auguraba a la vez la necesidad irrebatible de un nuevo Marx?
Jenny escuchaba atentamente tus palabras, había pedido a Lenchen que sirviera el té y parecía asentir en silencio a cuanto decías, universitarios y reporteros de todo el mundo la asaltaban diariamente a preguntas tratando de sonsacarle anécdotas para ridiculizar al marido, apuntar a sus monumenta-

les errores y pronósticos desmentidos, burlarse en suma, como decían, de su falsa condición de profeta, sin tomarse la molestia de leerle ni comprobar de visu que sus denuncias seguían vigentes y, si las mal llamadas democracias populares se habían desplomado por mutilar y aplicar erróneamente el corpus de su doctrina, el capitalismo se mantenía idéntico al que él había descrito, conquistador y arrasador de cuanto hallaba a su paso, incapaz de barrer siquiera la pobreza acumulada en el propio patio, la desnudez y abandono de los parados de Londres y Manchester!
qué sabían ellos, esos bromistas ignaros fisgadores de vidas ajenas, de la tenacidad heroica de Moro desde su exilio a Bruselas? de su lucha sin tregua contra una sociedad cuyos mecanismos puso por primera vez al desnudo, de la elaboración línea a línea de sus teorías en condiciones de increíble miseria? era fácil hablar de sablazos y cajas de clarete enviadas por Engels, ineptitud para mantener a la familia y cobro de herencias! si se hubiese puesto a trabajar a sueldo fijo para asegurar su subsistencia, quién habría escrito los libros cuyo contenido sacudió el mundo? dígame, quién de esa pléyade de exiliados románticos, conspiradores de opereta, revolucionarios de mitin y aventureros locuaces habría probado que el fundamento de la civilización consiste en la explotación de una clase por otra y, si ello implicaba un avance con respecto a la primitiva barbarie, se hacía a costa de avivar las pasiones e instintos más egoístas y brutales del hombre, promoviéndolas como única ley en detrimento de sus facultades más nobles?
sí, señor mío, sólo él era capaz de hacerlo y por eso acepté, con el sostén inapreciable de Lenchen, todas las mezquindades y tragedias de Dean Street, incluida la muerte de mis hijos! qué saben esas damas del mundo editorial y la prensa que ahora proyectan una serie televisiva sobre mí a cambio, cómo no, de unas cantidades de dinero con las que hubiéra-

mos podido vivir siete vidas lo que fue la muerte de mi pequeña Franziska? pasaron con nosotros la noche en la que, tras días y días de sufrimiento, permanecimos mi marido y yo acostados en el suelo con nuestros tres hijos vivos, junto a aquel cuerpecito inanimado, lívido y yerto? experimentaron alguna vez el dolor de ver apagarse a una niña que nació sin cuna y murió sin féretro, pues no tuvo ni uno ni otro por falta de medios y hubo que ir a buscar, a sablear, un diminuto ataúd de madera de dos libras, prestadas por un refugiado caritativo? han visto acaso a una criaturita metida como un muñeco de cera en una caja de zapatos mientras la arrancan de los brazos de su madre y llevan al cementerio?
(su voz había aumentado paulatinamente de intensidad hasta acabar en un grito
Lenchen se asomó un instante, alarmada, y regresó poco después con el té)
sí, qué saben esas almas distinguidas del trayecto de Dean Street al cementerio de Tottenham Court Road, primero con Guido, luego con Franziska y por fin con Musch, me oye usted? Musch!! había nacido ocho años antes en Bruselas, sufrido nuestra existencia de refugiados en pensiones y hoteles de mala estrella hasta dar con el infierno de Dean Street! el único hijo, inteligente, dulce, original, cariñoso, vivo, me escribía cartas adorables y reía enseñando todos sus dientes cuando Karl y yo le llamábamos Coronel Musch! también él, mi niño, barrido en tres semanas por la tisis y nuestras condiciones de vida precarias! mire su foto, este chiquillo de ojos inmensos que parecían devorar el mundo antes de ser devorado por él! nuestro desconsuelo durará siempre, la herida no cicatrizará jamás! cómo describir o filmar el séquito fúnebre hasta el cementerio? qué niño-actor prodigio buscarán los productores de la serie para encarnar el papel de Musch? podrá reír como él, saltar sobre mis

rodillas, besar con sus labios mis labios, encaramarse a hombros de Moro y tirarle alegremente del pelo? sabrá que lo contemplaré con todo el odio del mundo, a él, un ser inocente, en la ignorancia de que suplanta al verdadero y reaviva inútilmente mi dolor? lo maquillarán para darle un aspecto demacrado y enfermo, ocultarán sus mejillas saludables y rosas para conformar su aspecto al de mi pobre Musch?
(gritaba, gritaba de nuevo)
no! cuanto escribí luego sobre ello, mis breves esbozos de una vida agitada, no expresa ni una sombra del dolor real! qué importa después de esto que el médico nos reclamara sus honorarios y tuviésemos que correr de nuevo con Lenchen al Monte de Piedad? iban nuestros movimientos alocados a devolver la vida a mi niño? también Moro huía de aquel horror y se refugiaba en el silencio del Museo Británico! la casa de Dean Street se había transformado en cementerio, sus pobres muebles en lápidas y ataúdes! no podíamos continuar en ella sin palpar la presencia de la muerte, ese pajarraco de alas densas se cernía en la calle y parecía acechar a mis hijas! pregunte, por favor, a cuantos cavilan y discursean sobre el fin de las ideologías si soportarían un solo día de su vida lo que nos cupo en suerte a Moro y a mí! la sociedad en la que viven oculta cuidadosamente sus lacras pero se parece cada vez más a la nuestra! no se les ha ocurrido asomarse nunca de madrugada a las estaciones y bocas de metro? han leído el informe publicado en *The Observer* sobre la explotación del trabajo infantil en granjas y fábricas? niños de diez años que van directamente de la escuela al taller! un crío de doce trabajando por menos de una libra de hoy por hora en una tarea peligrosa y otro con el dedo segado por una máquina! todo ello en nombre de la sacrosanta libre empresa y con el conocimiento y aval de nuestros respetables gobernantes! y el cierre de los pozos de carbón y ejército de parados en la calle mientras esos señores

prosiguen con sus costosos e inútiles programas de Defensa! créame, la Historia no se ha acabado aún por mucho que sostengan lo contrario los modistos y diseñadores de ideas! ignoran de verdad esas cabezas huecas el mundo criminal en el que viven, la espiral de desastres que les absorberá de una vez? déjelos, déjelos pontificar a su gusto en sus cátedras televisivas et rira bien qui rira le dernier!

13

ACCIÓN, ACCIÓN!!
sí, pero cómo?
lanzándote a una descripción realista o monólogo interior de Moro, atrapado en casa como un león en su jaula por falta de zapatos, empeñados la víspera en el Monte de Piedad?
a retratar en tono patético, y las circunstancias se prestaban a ello, el parto y muerte inmediata del séptimo vástago de Jenny, obligada a guardar cama durante semanas en un estado de postración rayano en la ataraxia?
a referir el fallecimiento inesperado de Marianne, hermanastra de Lenchen, dulce, fiel y laboriosa como ella en palabras de Jenny, después de cinco años de leales y abnegados servicios a una familia perpetuamente al borde de la quiebra y su entierro en medio de las fiestas navideñas con el energúmeno de Pompas Fúnebres reclamando a gritos delante de las niñas el cobro de sus asquerosas siete libras y media?
una llamada telefónica te sobresaltó
escuchaste la voz excitada de Mr. Faulkner
pronto, apresúrate, nuestro personaje está en la comisaría de Soho!
tú: qué?

él: sí, el notición! y no, como cabría esperar de él, por su acción revolucionaria, sino a causa de la denuncia del dueño de una casa de empeño por apropiación de bienes ajenos! lo acabo de escuchar ahora mismo en Radio Reloj!
te precipitaste a la calle, agarraste un taxi, llegaste a la comisaría de Soho asediada ya por una turba de periodistas, curiosos y equipos de televisión
los policías habían cerrado la puerta y, mientras los delegados de algunas cadenas hacían sustanciosas ofertas de soborno a la gente que permanecía de facción para una entrevista exclusiva con el azote implacable de la burguesía pillado, al fin, con las manos en la masa, otros vigilaban la salida trasera del edificio por la que, según los sabelotodo, Jenny y Lenchen se habrían colado de incógnito embozadas como damas otomanas
la espera concluyó al mediodía, con la lectura, por un amigo de la familia, de un comunicado en el que se esclarecían los hechos y se exculpaba totalmente al Dr. Marx
la llegada de éste a la casa de empeño con un juego de vajilla de plata ornado del monograma de uno de los grandes linajes de la nobleza alemana, había suscitado el recelo del dueño ante aquel extranjero barbudo y vestido con descuido que pretendía ser el marido de una von Westphalen! el prestamista había avisado a la policía y el sospechoso fue conducido a comisaría en espera de que sus airadas protestas de inocencia fueran confirmadas por su familia!
un error, todo había sido un monumental error y el usurero se había visto obligado a presentar excusas!
pero la jauría de ex comunistas y paparazzi aglomerada frente a comisaría no se daba por satisfecha, exigía un careo del interesado, reclamaba el derecho de fotografiarle encerrado en su celda!
las preguntas, formuladas con micrófonos, asaltaban al desdichado portavoz de la familia

(sería Liebknecht o el pobre Wolff?)

UN PERIODISTA DE LA NBC

en la correspondencia con Engels figura la siguiente frase, «preferiría estar a cien pies bajo tierra que a seguir como estoy»! en su opinión, el Dr. Marx, al escribirla, pensaba seriamente en dar fin a sus días o era sólo una argucia para obtener nueva ayuda de su benefactor?

UN MARXÓLOGO HÚNGARO:

en otro pasaje de la correspondencia dirigido a Engels, el Dr. Marx escribe, «incluso si quisiera reducir los gastos a un mínimo vital, por ejemplo sacar a las niñas del colegio, instalarme en una vivienda puramente proletaria, despedir a las sirvientas, vivir a pan y agua, la subasta de mis muebles no bastaría para calmar a los acreedores que nos cercan ni facilitar un repliegue sin trabas a una guarida cualquiera»! no cree Vd. que esta exhibición de respetabilidad de la que él mismo habla, el típico quiero y no puedo de los pequeños burgueses, fue la verdadera causante de los apuros y lances tragicómicos de sus primeros quince años londinenses?

UN NEOLIBERAL DEFENSOR DEL «PENSAMIENTO DÉBIL»

aunque el estudio minucioso de Willy Haas sobre la correspondencia Marx-Engels admita que la vida dispendiosa y excéntrica del autor de *El Capital* le condujo a atravesar períodos de verdadera miseria, muestra con claridad que su nivel de vida fue siempre incomparablemente superior al de la clase trabajadora inglesa!

UNA POPULAR PRESENTADORA DE TV-1

por favor, dos preguntas

primera, es cierto que Carlos Marx ha escrito «mi mujer ha perdido completamente el equilibrio síquico y con sus gemidos, irritabilidad y mal humor hace sufrir a las niñas un verdadero martirio, aunque ellas soportan todo con paciencia ejemplar»?

segunda, si esto es verdad, quién cree Vd. que es el culpable de semejante desequilibrio?

el barullo y griterío procedente de la parte posterior del edificio interrumpieron aquel interrogatorio por procuración

ocultos en el interior de una furgoneta de policía, los personajes centrales de esta malhadada novela habían escapado al sitio en regla de la información audiovisual y escrita y se dirigían a un destino desconocido acompañados del estruendo de la endiablada sirena!

14

Un anuncio pagado de tu editor, en solicitud de «testimonios de los supervivientes y víctimas del socialismo real así como su actual percepción de la figura de Marx», provocó una avalancha de llamadas a tu domicilio, forzándote primero a descolgar el teléfono y reclamar después la instalación de un contestador automático

(con qué derecho míster Faulkner tomaba iniciativas sin consultarte y complicaba de modo inútil tu ya enrevesado trabajo?)

cuando, encastillado en tu inexpugnable querencia te creías a salvo de inoportunos testigos, percibiste un ruido de pasos bruscos pero dubitativos en el entarimado del pasillo del piso, seguidos, tras una pausa, de un timbrazo breve y enérgico

divisaste por la mirilla a un hombre de tu edad, de aspecto eslavo, cabello rubio canoso, ojos claros, rostro campesino, cejas rurales, barba de varios días sin afeitar

vestía chaquetón rústico y pantalones toscos, sujetos a los tobillos por unas pobres botas de soldado

aunque el trabajo acumulado era enorme, el editor te apre-

miaba a cumplir los plazos fijados para la entrega por partes del manuscrito y tu creciente identificación con el personaje de Moro había convocado a tus omóplatos una de sus frecuentes crisis de furúnculos, la curiosidad fue más fuerte, descorriste el cerrojo
permítame que me presente! me llamo Ángel García y era ciudadano soviético hasta el día en que redujeron por decreto mi vasta y genérica nacionalidad al ámbito estrictamente ruso!
tú: su apellido no obstante
(el forastero mostró al reír la dentadura descabal)
él: soy uno de los chavales asturianos refugiados durante la guerra de España, mis padres murieron en ella y me embarqué a la edad de cuatro años, con varios centenares de huérfanos, en un buque que nos llevó a Leningrado y, desde entonces, vivo en la ex Unión Soviética
tú: y ahora? ha regresado Vd.?
él: soviético he sido toda mi vida y lo seré hasta el fin!
(sacó del bolsillo un mal liado y apestoso cigarrillo
sin protestar, dejaste que lo alumbrara con un anticuado y extraño yesquero)
sí, amigo, pasé de una guerra a otra, la escuela hogar en donde nos acogieron tuvo que ser evacuada y me convertí en refugiado por partida doble, huyendo como los demás chavales del avance alemán hasta una colonia de más allá de los Urales! vivíamos en la época del Georgiano, del gran Yosif Visarianovich! nos educaron en el culto a su persona, compendio y suma de todas las virtudes y grandezas! era nuestro Padre y Jefe bienamado! pensábamos en él día y noche, le agradecíamos sus favores, admirábamos su infinita bondad, sabiduría y clarividencia! aprendíamos de memoria sus consignas, odiábamos a sus enemigos! sabíamos que algunos se infiltraban entre nosotros y fingían reverenciarle también para llevar a cabo sus planes de sabotaje económico

y terrorismo! ya fueran padres, hermanos o amigos, nuestro deber era denunciarlos sin vacilación alguna, probar así nuestro patriotismo y lealtad a quien nos amparaba e indicaba el camino de una Revolución destinada a barrer todas las injusticias! cuántas veces soñé en sacrificarme y morir por él! en probarle mi amor y fidelidad desenmascarando a un naci-trotsquista! le suplicaba que me concediera la gracia de descubrir algún compló y formar parte del pelotón de ejecución que eliminaría implacablemente la basura de la faz del mundo! nuestro culto era el de una religión, me sentía, pienso hoy, como uno de esos católicos de las Cruzadas o de la Inquisición, ansiosos de degollar infieles y quemar judíos! pero nosotros no actuábamos al servicio de unas creencias supersticiosas sino de un ideal internacionalista y científico! este paralelo, claro, no lo trazaba entonces, vivíamos en un estado de exaltación que excluía toda reflexión crítica! nada contaba con excepción de Él! el beso de amor de la muchacha más bella no valía cosa comparado con su ósculo paternal, tantas veces imaginado, en mi frente y mejillas! su bendición me acompañaba en el dormitorio, aula, patio de la escuela, faenas de trabajo voluntario en el campo! si proseguía los estudios y llegaba a médico, sería por Él! yo era solamente un ser insignificante, una infinitésima partícula! podía morir semejante genio? desaparecer de la bóveda de nuestro firmamento y dejar súbitamente de ilustrarnos? lo juzgaba imposible! subsistiría acaso la tierra sin el sol que la alimenta, sumida en la oscuridad hasta el fin de los siglos? y sin embargo fue así, el astro se apagó, sus rayos cesaron de calentarnos y me sentí de golpe frío y desamparado, privado de padre y madre, de cuanto me amarraba con solidez a la vida! no vio Vd. las escenas de dolor en el entierro? al hervidero humano, apretujones, gritos, pisoteos, atropellos, muerte por asfixia? qué otro presidente o jefe podría jactarse a su muerte de ocasionar tal aflicción en los límites del delirio? era un tirano, como dijeron luego? nosotros amábamos la tiranía! había ejecutado fríamente a millones de inocentes? ningún individuo podría ser inocente si incurría a sus ojos en algún delito de conspiración o desviacionismo! todos escuchábamos incrédulos a sus mezquinos sucesores cuando destilaban su hiel envidiosa, revelaban en sordina y a cuenta gotas sus presuntos abusos y crímenes! asistíamos impotentes al fin de su culto, al escamoteo de sus retratos, estatuas y símbolos! en nuestra rabia y abandono nos refugiábamos en la veneración de Vladimir Ilich y los padres del socialismo científico! ellos seguían en los altares, objeto de universal respeto y nos iluminaban con su ejemplo y doctrinas! así, nos acostumbramos poco a poco a reverenciarlos en lugar del Ausente, con menos pasión, es cierto, pero mayor conocimiento de su doctrina! qué importaba que nuestra vida fuese dura, sufriéramos de escasez de viviendas y penuria de alimentos si éramos los pioneros de un mundo mejor, la vanguardia victoriosa del comunismo? la certeza de seguir la vía recta, de abrir una brecha liberadora en el muro de egoísmo e intereses que impedía alcanzar a la humanidad su radiante futuro, nos confortaba y llenaba de dicha! Marx, Engels y Vladimir Ilich habían puesto sus vidas al servicio de la humanidad y nosotros éramos sus fieles, orgullosos discípulos! recuerdo el día en que un compañero de Facultad me vino con el cuento de que Marx era un judío proalemán y antirruso y lo tumbé de un hostiazo! en otros tiempos lo hubieran fusilado y tuvo la suerte de perder sólo dos dientes! el empeoramiento general del sistema engendraba inquietudes y quejas, el imperialismo declinante atascado en Vietnam nos sometía a un cerco inexorable, pero éramos la segunda potencia del mundo y podíamos resistir! quién hubiese podido imaginar hace unos años lo que luego sucedería? los que confiaban en que un equipo joven a la hora del relevo de los viejos arreglaría

las cosas y volvería a las fuentes más puras del marxismo, se equivocaban de medio a medio! las cacareadas transparencia, reestructuración, apertura, no hicieron sino agravar la crisis, abrir la caja de Pandora e inundarnos con todos los males y lacras del enemigo! qué han logrado esos renovadores sino desmantelar el país, entregarnos atados de pies y manos al capitalismo más cruel y salvaje, dejar a millones de personas sin trabajo, devaluar la moneda a una milésima de su valor, hundir al ochenta por cien de la población en la pobreza más negra, liquidar nuestro orgullo de superpotencia y convertirnos en el nuevo hombre enfermo de las cancillerías europeas cuyos despojos se reparte la jauría! imagina Vd. al Sumo Pontífice católico, apostólico y romano declarar solemnemente a sus fieles que Cristo erró, la Iglesia fue una empresa de engaño y explotación y en adelante sería prohibida? cuál habría sido su reacción de estupor, desconcierto, furia? y eso fue lo que nos llovió encima! vaya, amigo mío, a Moscú, Kiev a eso que llaman ahora San Petersburgo o a cualquier otra ciudad soviética! verá Vd. a rusos y ucranios enfrentados, a azeris en lucha con armenios, a inguchos, abjazos y mesjitos perseguidos, a ciudadanos hasta hace poco hermanos enzarzados en guerras étnicas y odios fratricidas! a esto le llaman Vdes. libertad y progreso? los causantes de ese desastre, que Vdes. reciben como héroes, deberían ser juzgados por alta traición, condenados a morir como perros! asómese, asómese a nuestras calles y verá a la masa sin brújula de los parados, el ejército de bebedores de vodka, la invasión de drogas, prostitución infantil, compraventa de virgos por un puñado de dólares!
(se había acabado la cinta del magnetófono con el que grababas el río de sus palabras y se detuvo impaciente mientras la reemplazabas)
mire, compadre, según parece tiene Vd. acceso directo a Marx y quisiera pedirle un favor! repítale punto por punto

cuanto le he dicho! dígale que no se amilane y alce de nuevo la voz! somos docenas y docenas de millones los soviéticos que nos hemos sacrificado y luchado por el triunfo de su doctrina! si sus discípulos la aplicaron mal, tiene el deber de apuntar a donde fallaron y, como en la época en la que desveló los desafueros y tropelías del Capital, analizar la realidad monstruosa creada en mi país por un puñado de títeres y lacayos y ejercer otra vez su indispensable y precioso papel de guía!

15

Le acechabas en los barrizales de Maitland Park, a la hora en que, cargado de libros y diarios, volvía a casa después de una jornada de lecturas y consultas en el Museo Británico
avistaste a lo lejos la silueta de un hombre robusto, de mediana edad, vestido de una vieja levita ajustada a la almidonada pechera, de barba y cabellos negros y ondeantes, con todo el aspecto de un profesor de universidad
(el emigrado ruso Pavel Annenkin lo había descrito así, pero su retrato, hecho en Bruselas, no databa de hacía diez años?)
al llegar a tu altura, te reconoció
cómo va el señor novelista? husmeando todavía sobre nosotros?
reía con ganas y lamentó que la provisionalidad y desnudez del paraje no os permitiera tomar una caña, como en la época en que él vivía en Soho
se había acostumbrado a reunirse con sus camaradas en el local de Windmill Street o los pubs de Tottenham Court Road, dijo, y echaba de menos la agitación callejera de Hampstead y West End, la ronda cotidiana de tabernas que le ayu-

daba a olvidar momentáneamente el trabajo e inquietudes domésticas, allí, en las afueras, uno tropezaba solamente con rebaños y él, después de la bendita mudanza, empezaba a aborrecer cordialmente el campo!
por contera, los periodistas y equipos de televisión le localizaban fácilmente, buscarle en Soho era como dar con una pulga en un almiar, ni los reporteros más sabuesos podían echarle un galgo camuflado entre los grupos de bebedores, perdido en el bullicio y ajetreo de la ciudad!
ahora me aguardan como Vd., con perdón, en estos descampados en donde no hay manera de ocultarse, a veces con la cámara y equipo sonoro a punto, para preguntarme por enésima vez no sólo lo que pienso acerca de la caída del comunismo sino para importunarme también con chismes y asuntos personales!
(imitó el acento de los locutores de la NBC)
no indispone al autor de la teoría del valor-trabajo el hecho de vivir a base de expedientes como un vulgar sacacuartos? Vd. que predica en el *Manifiesto comunista* la abolición del derecho a la herencia, por qué acogió como agua de mayo las de la madre y la suegra? su amistad con Engels se funda en afinidades puramente ideológicas o incluye también intereses materiales más bajos? a qué viene ese juego entre Vd. y Jenny de solicitar ayuda a alguien a condición de que se calle y no informe a su consorte? mientras ella pedía auxilio a Wolff, Vd. lo hacía a Annenkov, imponiendo los dos la regla del silencio! estima dicha actitud un ejemplo de armonía y comunicación en un matrimonio tenido por modelo? sí, señor novelista, este es el tipo de preguntas con las que me asaltan los dignos representantes de la televisión internacional y prensa amarilla! sin olvidar, no faltaría más, mis visitas en Zaltbommel, no tanto para sablear a mi tío Lion Philips como para dejarme seducir por los encantos de su hija Nanette! imagine Vd. el cues-

tionario! es cierto que coqueteó con ella? por qué prolongó su estancia en Holanda, dejando a Jenny y sus hijas transidas de frío en Londres durante las fiestas navideñas? las cartas de Nanette y el tierno apodo de pachá con el que le designa, no indican a las claras la existencia de una cariñosa aventura? el pretexto oficial de curarse los furúnculos o ántrax, no fue el juego de la bella Zurlina con Masetto en la célebre escena de *Don Giovanni* y así tutti quanti! como en esos programas de televisión tan populares en donde formulan por separado preguntas íntimas a una pareja para reír a costa de ella, con títulos tan ingeniosos como «Vd. y su costilla» o «Su media naranja»! esto es cuanto les interesa saber! si san Pablo resucitara y predicara en Roma, estos señores, en vez de escucharle, correrían a averiguar si tenía una querida o el número y saldo de su cuenta bancaria! poco les importa que la ruptura del equilibrio entre los dos bloques haya anegado el mundo de calamidades y guerras, ardan las ciudades, mueran comunidades enteras y docenas de millones de personas queden sin trabajo! lo que apasiona al público son los ojos negros, los muslos, los pechos rotundos y firmes de Nanette!
(aprovechaste la pausa para pasarle una transcripción mecanografiada del testimonio de tu visitante soviético
Moro lo ojeó sin pestañear)
tú: lo interesante de este individuo es que plantea sin proponérselo el problema del poder, de la alienación creada por la falta de democracia interna en el movimiento comunista causante del culto de la personalidad y condena implacable del desviacionismo! cómo llegaron las cosas a este punto, a tales extremos de deificación? fue el peso de la tradición absolutista del zarismo, el carácter sicópata de Stalin o el problema se remonta a más lejos, esto es, a la Internacional que Vd. encabezó? de sus escritos y palabras se deduce a menudo que, Vd. hace coincidir su visión de la realidad con

la realidad misma! cuando Engels, en la ceremonia fúnebre de Highgate
(un gemido en off te interrumpió en mitad de la frase cómo diablos puede Vd. estar hablando con Marx de su propio entierro?)
cuando Engels, repito, dijo que de igual modo que Darwin descubrió la ley de la naturaleza orgánica Vd. descubrió la que rige la historia humana, no transformó acaso sus observaciones lúcidas pero discutibles en una ciencia de validez universal? por qué omitió el hecho capital de que al elaborar sus teorías dejó Vd. de lado cuantos elementos la contradecían y, a partir del hallazgo de lo que juzgaba verdad irrefutable, buscó sólo las pruebas que la confirmasen mediante un filtro que excluía toda investigación opuesta? más que de infalibilidad científica habría que hablar de infalibilidad de creencias!
él: (siempre de buen humor): veo que ha digerido bien las lecturas a la moda del día!
tú: bueno, lo que quería decir era, una vez que Vd. y Engels decidían una determinada línea política, la imponían dogmáticamente a los demás! quienes disentían de sus puntos de vista eran inmediatamente sospechosos y todas las armas servían para aniquilarlos! Weitling, Bakunin, Lassalle resultaban ser provocadores pagados, crápulas con todas las de la ley, agentes a sueldo del enemigo! su obsesión con los complós urdidos por sus adversarios no se diferenciaba sino en cuestión de grado con los de las hienas y chacales denunciados por Yosif Visarionovich! la correspondencia con Engels compendia una penosa antología de acusaciones, condenas e insultos frutos del mismo placer íntimo con el que Vd., según Karl Heizen, apuntaba en sus reuniones juveniles a alguno de sus camaradas y le asestaba de pronto «a ti, te destruiré»! ahora bien, esa creencia suya en la existencia de conspiraciones secretas no constituía el reverso de la

medalla del afán de poder denunciado por sus contemporáneos, afán de consecuencias perdurables en el futuro del comunismo? Las palabras de Mazzini

> Marx cela su autoridad de jefe, vindicativo e inflexible con sus rivales y enemigos y no halla sosiego más que en su eliminación! no obstante el igualitarismo comunista que figura en su blasón es el monarca absoluto de su partido!

no se ajustan como anillo al dedo al retrato del Gran Georgiano?
(creíste escuchar el susurro de Mr. Faulkner: demasiadas ideas y abstracciones! esas discusiones aburren a los lectores!)
él: mire, señor novelista, si quiere respetar la verdad histórica, ponga las cosas en su contexto! estas acusaciones, y otras muchas de quienes fueron incapaces de analizar los mecanismos destructivos de la burguesía contra la que románticamente luchaban, se hicieron con los años agua de borrajas! durante el lapso en que fui presidente de la Internacional, en mi aversión a cualquier culto de lo individual nunca acepté las propuestas de homenaje y reconocimiento que llovían de todas partes! mi respuesta fue absolutamente tajante! es más, cuando Engels y yo adherimos en la Liga comunista clandestina, lo hice a condición de que quienquiera que pretendiese fomentar en ella creencias irracionales en la autoridad, debería ser rechazado de su seno! puedo mostrarle la carta que escribí a Wilhem Blos sobre el tema, suficientemente explícita, creo, para liquidar de una vez este asunto!
(os habíais acercado paso a paso a las tres viviendas de ladrillo, edificadas un tanto caprichosamente, con balaustradas, balcones, ornamentos pomposos y piedras angulares, sobre los solares parcelables de Grafton Terrace
caminabais en medio del lodazal y Moro se detuvo a contemplarte con burlona intensidad)

él: la única observación de interés que esperaba de Vd. no me la hizo!
tú: qué observación?
él: sabe Vd. cuál, señor novelista?
tú: la verdad, no
él: conoce la frase del conde de Beust, el canciller austríaco, después de la revolución de 1848?
tú: ni idea!
él: «habrá que preguntarse si no valdría la pena oponer a la asociación universal de los obreros una asociación universal de los patronos, a la solidaridad de la no posesión la de la posesión, a la Internacional una Contrainternacional»! tal fue lo que dijo! clarividente, no?
(prorrumpió en una de esas risas que sus detractores calificaban de demoniacas
cariñosamente, no le llamaban sus hijas también el Diablo?)
y eso es lo que ha ocurrido! la Contrainternacional gobierna hoy el mundo con una solidaridad de intereses de la que la masa de desposeídos carece! ha barrido no sólo al proletariado y los sindicatos sino al propio Estado nacional burgués, convertida en ese conglomerado multinacional de empresas que hoy controlan las telecomunicaciones, microelectrónica, ordenadores, biotecnología y robótica, aunadas, pese a su feroz competencia, en un mercado planetario común! ciento cincuenta años después de los hechos, la historia no ha dado la razón al *Manifiesto comunista* sino a los muy píos deseos del señor Beust! Beust, me oye bien? B-E-U-S-T!
(reía, reía)
en vez de ocuparse de mi modesta persona, debería centrar en adelante la historia en la grandiosa figura de ese inmortal canciller!

16

la acogida de Mr. Faulkner sería glacial
el texto que me presentas es una mera sucesión de diseños, croquis, notas, apuntes, esbozos, bosquejos
(iría a agotar la lista del Diccionario de Sinónimos que figuraba sobre la mesa para remachar bien el clavo?)
sin hilo conductor ni argumento, el lector se siente perdido en un maremagnum de datos contradictorios y absurdos anacronismos! cada vez que parece arrancar una historia te las arreglas para desviar su camino y volver de nuevo al principio, al punto cero, a la nada! tienes algo que objetar a cuanto digo?
tú: el manuscrito es sólo un borrador!
él: a eso no le llamo yo un borrador sino una sucesión de borrones, de páginas emborronadas! mi asesor y yo esperábamos de ti una historia, real como la vida misma, con la gloria y miseria, esperanza y fracasos de Marx y su familia, no un cajón de sastre de anotaciones ni un batiburrillo de ideas!
el asesor diminuto y con gafas: no hay progresión dramática y sí un abuso de la excusatio propter infirmitatem!
Mr. Faulkner: exactamente! los lectores de novelas, como los espectadores de seriales televisivos, quieren seguir una trama de interés sostenido, con escenas humanas y tensas, sobrecargadas de emoción!
(pulsaría un botón y al punto se iluminaría la pantallita de su televisor
dos actores, en los papeles de Moro y Jenny, permanecerían en silencio, mirando fijamente la cámara
ella tenía una carta entre las manos

> JENNY (crispada): c'est vrai tout ce que raconte ta niece? qu'est ce que ça veut dire «mon attachement pour

vous n'a pas un caractère aussi philosophique que le votre»?
contraplano
KARL: ma chère Jenny, la façon de s'exprimer de Nanette est celle d'une gamine!
nuevo contraplano
JENNY: je veux connaitre la verité! dis-moi, Karl, quand tu es allé la voir à Zaltbommel, est-ce qu'il y a eu une romance entre vous?

bruscamente, la proyección se interrumpió)
Mr. Faulkner: has visto? las guionistas francesas han sabido captar la atmósfera del drama familiar y componer una escena llena de patetismo!
el asesor: bueno, la telenovela no es genial, pero sirve de orientación, indica bien el camino!
Mr. Faulkner: mira, majo, las cosas no pueden seguir así! conforme a lo estipulado en el contrato, podemos interrumpir el abono de las mensualidades a la mitad de la fecha fijada para la entrega si no nos satisface el producto ofrecido y, tal como se vislumbra el asunto, nos acogeremos a esta cláusula a menos de que nos ofrezcas un verdadero plato fuerte en el próximo capítulo! una escena trepidante de acción en un cuadro más bello y atractivo, como lo fue el que enmarcó los nuevos dramas de la familia, cuando Engels otorgó al denunciador implacable de *El capital* una renta vitalicia anual de 350 libras!
(acabada la hoja, comprobaste aliviado que todo el diálogo había sido obra de la incurable manía de poner tu trabajo en solfa, de inquietarte de modo enfermizo por lo futuro y, a fin de cuentas, de divagar)

III

1

Tu constancia en el asedio había sido premiada!
cuando desesperabas ya de continuar la redacción de este abigarrado manuscrito, recibiste una tarjeta de invitación de bordes dorados impresa en esmerada caligrafía

Dr. Karl Marx
y Frau Dr. Jenny Marx
de soltera Von Westphalen
tienen el gusto de invitarle
al baile ofrecido en su residencia
1 Modena Villas, Maitland Park, Haverstock Hill
London N.W.
el 12 de octubre de 1864

sabías que desde el regreso de Moro de Tréveris, tras recibir la parte correspondiente a la herencia materna, Jenny había decidido mudarse a una casa más amplia, con el propósito de cerrar el capítulo de su anterior existencia, de una vida compuesta de precariedad y sufrimiento, lobreguez y miseria
el nuevo domicilio de la familia Marx, denominado inmediatamente por ésta Medina, ha sido descrito minuciosamente por Jenny a sus amigos y parientes alemanes, manifiesta-

mente feliz de mostrarles que la pasada bohemia y apuros de su condición de revolucionarios profesionales ha cedido paso a una nueva respetabilidad

recuerda la capilla a la entrada del parque, flanqueada de dos casas bonitas y elegantes, de reciente edificación? la primera de ellas, no la lindante con la iglesia sino aquella con la que uno tropieza al entrar en el parque es nuestra vivienda actual! anchos y airosos escalones de piedra conducen a través de un espacioso jardín a la casa, cuyo holgado y agradable vestíbulo impresiona a cualquiera! compramos los llamados complementos del anterior inquilino y, en vez de vernos forzados a amueblar lo más módicamente posible, hemos podido consagrarnos ahora a la decoración y menaje, de modo que estamos en disposición de recibir sin incomodidad alguna! pero lo mejor es su situación abierta y saludable, erguida como está, se diría, por su propia cuenta, sin vecinos ni nadie frente a ella y, al mismo tiempo, con un bien ordenado jardín!

mientras te preparas mentalmente para la recepción, el indispensable plato fuerte de tu aleatoria novela, procuras reunir el mayor número de relaciones detalladas del interior de Modena Villas

(no se te ocurra ni en broma llamarla Medina, te ha advertido el editor

los lectores creerían que andas perdido aún en tus morerías de siempre!)

el vasto salón con vistas al parque en donde se celebraría el baile, la gran pieza del primer piso destinada a despacho de Marx, el pequeño museo shakespeariano de Jennychen, los encantadores dormitorios de las hijas, respondían únicamente a la necesidad de procurar a éstas un lugar adecuado a recibir a sus amigas sin rubor ni vergüenza? de liberarlas de aquella posición falsa en la que vivían, con clases de fran-

cés, italiano, dibujo y canto, pero en una casa con los muebles empeñados y privada a menudo de agua, gas y carbón indispensable a calentarla? como había advertido Frau Marx, enfrentada a diario a los problemas de intendencia de Grafton Terrace, si uno no tenía los medios de ofrecer a su progenie ni fortuna ni absoluta independencia material, cómo podía educarla sin bautismo, creencias ni iglesia, a redropelo de las leyes y costumbres de la sociedad?
la voluntad de un desquite social, omnipresente en la conducta y cartas de Jenny, no era también producto de su aceptación más o menos consciente del hecho de que no alcanzaría a ver la Revolución predicha por el marido y de la consiguiente precisión de establecer un modus vivendi con la burguesía no obstante su inconmovible solidaridad con Moro y adhesión a los principios de la Internacional?

2

Vestido adecuadamente a la circunstancia, te presentas a la entrada de Maitland Park, entre Hampstead y Kentish Town y, tras localizar la capilla descrita por Jenny, subes los amplios y airosos peldaños que conducen al pórtico, mezclado con otros invitados a la fastuosa recepción
los anfitriones reciben en la puerta, ella con un elegante traje de modista digno de los que usaba en sus bailes juveniles de Tréveris, él de levita y con un monóculo de cadenilla, acompañados de las tres hijas
(tres pimpollos, hubiera dicho tu padre)
Jennychen, cuyo cabello negro y brillante contrasta con sus rosadas mejillas de niña y ojos profundos, suaves, ofrece una estampa fina y atractiva

Laura, más esbelta y pálida, deslumbra con la hermosura de sus rasgos y sus largas trenzas oscuras resplandecen como en un continuo fuego de artificio

simple y suficiente con su sombrerito, Tussy, apoyada en el miriñaque de sus hermanas, muestra sus piernas delgadas y botines de lazo, mirándote a ti o a la cámara con pupilas traviesas y alegres

(es una niña más graciosa que bella, ansiosa de gustar y confiada en lograrlo y parece experimentar cierta dificultad en mantenerse quieta ante el objetivo del fotógrafo que la retrata)

si tus cálculos no fallan, las hijas del matrimonio tienen aproximadamente veinte, diecinueve y nueve años

buscarás con la mirada la variopinta colección de animales domésticos de la familia

> el perro Blackie, cuyo comportamiento, según la correspondencia de Moro, es el de un caballero serio y muy aburrido
>
> Whiskey o Master, el secretario de Lenchen, un noble y gran personaje que, a cada ausencia de su ama, exhibe los sufrimientos de un alma sublime
>
> su colega Tommy, resuelta a multiplicar su descendencia, a fin de probar la verdad de las teorías de Malthus
>
> el gato Sambo
>
> un pájaro denominado Calypso
>
> otro llamado Dicky, absorto en la continua tarea de mejorar su exquisita voz

lacayos con librea distribuyen bebidas y refrescos en bandejas de plata, una pequeña orquesta de baile se apresta a iniciar su repertorio para las impacientes parejas juveniles

el despacho de Moro en el que indiscretamente te escurres muestra el desorden de siempre pese a su fulgurante cambio de status, manuscritos copiados por Jenny, libros, periódicos, pipas, ceniceros, cigarros, cerillas, fotos de familia, de Engels y del abnegado Wilhelm Wolff

llevado por tu curiosidad, examinas el lomo de los ejemplares alineados en la biblioteca, centenares de obras de filosofía, historia, economía, política, pero también poesías de Heine, novelas de Fielding, Cervantes, Balzac, Dumas padre, sir Walter Scott
(recuerdas que desde que las niñas alcanzaron la edad de la razón, suele leerles pasajes de Homero, *Los Nibelungos*, el *Quijote*, recitarles escenas enteras de Shakespeare que Tussy memoriza apenas cumplidos seis años
momentáneamente aislado de los demás, aprovecharás la ocasión para rememorar el ritual de sus paseos dominicales, las batallas navales con barcos de papel y cuentos de hadas, excursiones a los montículos aún agrestes de Hampstead Heath con Jenny y Liebknecht precedidos de las niñas y seguidos de Lenchen, con sus cestos de pan, queso, charcutería y refrescos, cantando canciones del folclor alemán, declamando versos de la *Divina Comedia* o el monólogo atormentado de Hamlet)
el arranque de la música da fin a tus divagaciones, te devuelve a Medina, a la fiesta inaugural de Maitland Park
(van a cantar a dúo, Laura y Jennychen, sus canciones aprendidas a costa de tantos sacrificios pecuniarios en los cursos particulares de South Hampstead College for Ladies?)
el gran salón está abarrotado de muchachas veinteañeras con hermanos y amigos, los miriñaques giran y ondean al son de la danza, los atavíos masculinos parecen diseñados para un filme de época, con todos los pormenores cuidadosamente revisados por el director
agrupados de nuevo frente a los ventanales abiertos al parque, Laura y Jennychen, con sus correspondientes parejas, aguardan sólo una señal para probar su elegante destreza y conocimiento de las formas mundanas
eh, les garçons, un peu plus à droite! le blond ne doit pas cacher la crinoline de Jennychen!

(quién es el mandón que grita a tu espalda?)
la rigidez acartonada de los personajes del cuadro te embebe de súbito de una difusa impresión de malestar
por qué ensayan la escena de la apertura del baile mientras los músicos afinan ociosamente sus instrumentos sin poder evitar alguno que otro bostezo?
únicamente entonces adviertes la presencia en la pieza contigua, separada de la principal por un arco sin puerta, de un equipo de rodaje con cámara, luces, sonido, jirafa y pértiga
(se trata de un vídeo grabado para la familia o de un filme en toda regla?)
Marx y su esposa esperan también discretamente maquillados y en sus atavíos de gala el visto bueno del director!
él con el monóculo de cadenilla ajustado a la órbita, ella con una sonrisa hueca y artificial!
la pértiga con el micrófono penderá sobre sus cabezas durante unos minutos interminables
por fin, una script con tejanos y blusa emblemática de los California Breakers, se plantará en primer término
voz del director: todo el mundo a punto?
(murmullos afirmativos, una risilla histérica)
ACCIÓN!!
la script: *La Baronne Rouge*, secuencia primera, toma dos!
inmediatamente sonará, guillotinador, el zurrido de la claqueta!

3

Las parejas serán filmadas desde distintos ángulos por la cámara portátil, cuidando de que el objetivo se centre siempre en la figura de las hijas, Cenicientas en brazos de sus príncipes, radiantes de orgullo y satisfacción!
las imágenes de los músicos tocando sus instrumentos alternarán con primeros planos de Laura y Jennychen

PAREJA DE BAILE DE JENNYCHEN: *suele Vd. ir a recepciones y fiestas?*

ELLA: *(sonrojándose): no, es la primera vez!*

Tussy y otras niñas de su edad juegan en un rincón de la biblioteca y la chiquilla luce ante las otras sus portentosas dotes de ajedrecista
nuevos grupos de invitados convergen a la puerta de la mansión y saludan con besamanos y reverencias a los anfitriones de Modena Villas
entre los recién venidos se halla la condesa Hatzfeldt, amante oficial de Lassalle, a quien Moro conoció años atrás y Marx admirará de nuevo su encanto y negligencia aristocráticos, modales desenvueltos, cabellos peinados con esmero pero con una mecha de rebeldía, ojos discretamente sombreados, rostro atractivo de mujer madura de húmedos ojos y pulposos labios
irresistiblemente atraído por ella, murmurará unas palabras de excusa a Jenny y la sacará a bailar

CONDESA HATZFELDT: *es así como nos agradeció la amistad que le brindamos, yéndose de Berlín en cuanto sus asuntos se lo permitieron?*

KARL MARX: *mi único recurso era emprender la huida! de otro modo, no hubiera sido capaz de regresar a Londres, adonde me llamaba el deber!*

CONDESA HATZFELDT: *vaya cumplido decir a una dama que su amabilidad es suficiente para poner en fuga!*

KARL MARX: *Vd. no es Berlín! si hubiese querido mostrar-*

me la sinceridad de su benevolencia, debería haberse fugado conmigo

CONDESA HATZFELDT: *mucho me temo que en tal caso me habría abandonado Vd. al primer alto!*

KARL MARX: *no estoy tan seguro de que la hubiese dejado en la estacada! Vd. sabe que cuando Teseo se fugó con la belleza griega y la abandonó en el camino, el dios Baco bajó inmediatamente del Olimpo y llevó a la cuitada en sus brazos hasta la mansión de la eterna alegría! pues bien, no dudo de su encuentro con algún dios en la primera estación de ferrocarril después de Berlín y yo habría sido un verdadero desalmado de haber intentado frustrar esa cita!*

la cámara se deslizará en travelín del primer plano de la pareja a otro medio de Jenny, visiblemente crispada, soportando sin prestar atención las palabras inaudibles de su vecino, para enfocar luego sus manos, estrujando un pañolín de seda

Tussy, cansada de sus demostraciones de dominio en el arte del ajedrez, se ha colado entre los mayores y asiste con picardía curiosa al galanteo paterno

(el diálogo transcrito en el guión, referido por Marx a Engels, no se situaba acaso en Berlín, años antes del desafío y muerte de Lassalle?

o incurría inadvertidamente la adaptación televisiva de la vida de Jenny en las mismas anacronías que tu novela?)

Karl Marx se ha alejado de la turbadora condesa y, evitando la mirada helada pero llameante de su mujer, se acerca a las niñas que rodean a Tussy

ÉSTA (risueña): *papá, quién es la señora con la que bailabas tan amartelado? es tan ingeniosa e inteligente como bella? parecías admirarla mucho y creo que la admiración era compartida! si yo fuese Möhme, me moriría de celos!*

(la intervención de la pequeña Eleanor era unos años posterior al baile y se refería a una dama distinta de la amante oficial de Lassalle!)

KARL MARX: *vamos Tussy, no digas tonterías! ven conmigo al bufete, a ofrecer una copa de sherry a Möhme!*
(cerraste el guión de *La Baronne Rouge* y decidiste proseguir tu vagabundeo por Modena Villas sin dejarte amedrentar por la presencia del equipo de cine o televisión)

4

Penetras en la habitación de una de las hijas, curiosamente dispuesta como un plató de cine o decorado teatral
(todos los elementos detallados en la correspondencia de Jenny figuran en ella)
al asomarte a la ventana con vistas al parque, contemplas un paisaje neblinoso, onírico e irreal
la absoluta inmovilidad de los árboles, arbustos y flores, induce a pensar en la existencia de un bosque fingido, de mentida e inquietante naturalidad
plantados en primer término, Laura y Lafargue se ejercitan en el arte de la equitación
ella cabalga maravillosamente su montura, espléndida en su papel de amazona
el futuro autor de *El derecho a la pereza* es aprendiz de jinete y se aferra a la crin del caballo en vez de a sus riendas
la boda no se ha celebrado aún y pese a la advertencia de Marx al joven Lafargue de que un amor verdadero se manifiesta en una discreción hecha de modestia e incluso en una actitud tímida del enamorado tocante a su ídolo y no desde luego en excesos temperamentales y una apresurada intimidad, el noviazgo de Laura y el nieto de una mulata antillana e hijo de un sacarócrata santiaguero, ha recibido la bendición de Jenny, convencida de que el joven revolucionario

y estudiante de medicina es heredero único de un próspero negocio vinatero en Burdeos y unas miríficas plantaciones en Cuba, cuya aportación matrimonial cifra en cuatro mil libras!
al cambiar de ventana
(siempre en la misma habitación de Modena Villas o escenario o plató)
descubres un panorama de muy distinta composición
estás en París, probablemente en un piso de la Rue Cherchemidi, adonde el matrimonio se ha trasladado después del nacimiento de su primogénito apodado Schnaps
Laura se halla a solas en su escritorio, redactando una carta destinada a Jennychen, con un fondo sonoro de berridos y risas infantiles
voz en off: *mi pequeñuelo Schnaps hace progresos fantásticos! nunca ha estado mejor ni más alegre! es tan vivaz y turbulento que Paul debe atarlo a la cuna para evitar un accidente y la sillita en la que se sienta hay que fijarla en el suelo cuando la usa! ahora deja que juguemos con él y lo lancemos al aire durante horas y horas!*

el decorado seguirá idéntico, pero Laura parece mayor y algunos elementos apenas perceptibles muestran el paso del tiempo
voz en off: *mi chirriquitina Maigriotte adelanta a ojos vistas! desde hace un par de días no está tan apacible y tranquila como antes, pero engorda! Schnaps se va convirtiendo en un compañerito encantador y es imposible darte una idea de sus inagotables bromas y juegos! nada más divertido que verle sostener la cabeza de Maigriotte, manosear y acariciar su cara, sujetar su nariz y retozar con sus pies y manos!*

la luz ha disminuido, el escritorio permanece en la penumbra, Laura, con el semblante devastado, escribe a la luz de un candelabro
voz en off: *mi querida Jennychen, espero que no estés enfadada por mi pasado silencio del que no tengo que excusarme pues la muerte de mi pobrecilla hija me anonadó de tal manera que no podía pensar siquiera en escribir ni leer!*

huyendo de la tristeza del cuadro, te asomarás al tercer y último ventanal de la habitación, abierto al despacho de la villa de Levallois a la que la pareja se ha mudado tras el fallecimiento de la niña
entre mitin y mitin y reuniones del Consejo General de la Internacional en las que participa como representante de la península Ibérica, Lafargue escribe a su suegro
voz en off: *dejamos al sr. Schnaps en el jardín a lo largo del día, como si fuera un potro! no hay modo de describir los cambios operados en este hombrecito en los últimos días! es gordito, redondo, se agita y zigzaguea como un gusano, corre hacia el agua, forcejea en el polvo, lame el suelo, aplasta cerezas, las machaca y se las come a continuación rebozadas de tierra! durante estos ejercicios más o menos cuestionables, disfruta como un salvaje, se acompaña a sí mismo de gritos y cantos, cada uno más delicioso que el precedente! tátá, mamá, babá, gragrá, kaká, manibula, à revoir, à boire, nanas, etc*

examinarás ahora en el proyector diapositivas del matrimonio y sus vástagos, incluido Marc Laurent, el benjamín, saludado gozosamente por Marx como el futuro defensor de su país contra el ocupante prusiano y fallecido no obstante cinco meses más tarde ignoraban o presentían ya la violencia de los trastornos históricos consecutivos a la caída del Segundo Imperio y el cercano final de sus hijos? la rebelión popular contra los derrotistas, proclamación del poder obrero, asedio implacable de la burguesía, aplastamiento final de los comuneros? su huida a España con el malhadado Schnaps mientras la reacción se ensañaba en los vencidos e inauguraba un terror blanco de millares y millares de víctimas?

la multiplicación vertiginosa de apodos, común a la familia, era una manera de conjurar la suerte adversa que como ave de mal agüero se cernía sobre sus miembros, mediante una diseminación nominal compensatoria de su breve y acelerado destino? la obsesión con los motes que abarcaba el entorno incluso animal del padre del socialismo científico consistía tan sólo en una manifestación más del sentido del humor que a pesar de los pesares propagó a la familia o esos Di, Quiqui, Kakadú, Hotentote, Emperador de la China, Coronel Musch, Tussy, prolongados luego en Schnaps, Maigriotte y la progenie de Jennychen indicaban la existencia de algo más turbador y profundo? implicaban quizás una fe oscura en el poder mágico de los nombres frente a la realidad perecedera designada por ellos, la posibilidad de leerlos como expresión de una guerra desigual con el tiempo y su tacañería, labor de zapa, brusco desplome, lenta demolición?

la Laura todavía juvenil, generosa y abierta

(no la mujer dura, egoísta y seca, cuyo destino sería suicidarse con Lafargue en el umbral de la vejez)

que miraba con seriedad el objetivo en uno de sus retratos de recién casada, barruntaba la brutal agonía y muerte de Schnaps, tan similar a las de Guido, Franziska y Musch, a los tres años y medio de edad, durante su exilio miserable en España?

el paisaje abarcado desde la ventana de cartón piedra refleja un yermo de armadura y desolación y aguzarás el oído a

la escucha de las notas que, pasado tu ensimismamiento, ascienden de la planta baja
la música bailable de la inauguración de Modena Villas ha sido insidiosamente sustituida por la melancolía impregnadora, sutil de *Kindertotenlieder* de Mahler!

5

Al salir de la habitación, vislumbrarás desde lo alto de la escalera a los invitados o actores perfectamente inmóviles con sus refrescos o copas de champaña en la mano mientras las parejas listas para el baile acechan petrificadas una seña u orden del director
(un genio, demiurgo o poeta o simplemente el realizador del serial televisivo que Mr. Faulkner proponía de modelo a tu novela?)
como la espera se alarga el tiempo en que el asistente del operador gradúa la intensidad de las luces, aprovecharás la inatención e impunidad de que gozas para colarte en el dormitorio de Jennychen
los libros de literatura e historia esparcidos sobre los muebles y el lecho muestran su vivo interés por la novela y apasionamiento por Shakespeare
(también ella ha soñado como Tussy en ser una actriz y llevar una vida creadora e independiente)
en el hueco de la ventana cubierto por un telón, una diapositiva sepia de Charles Longuet, con el sombrero y aire bohemio de su retrato más conocido, te coloca de nuevo en posición de espectador
el último proudhoniano de Francia que Moro mandara una vez al diablo y sobre cuyo matrimonio con Jennychen Frau Marx escribiera proféticamente

no puedo sino temer que, a causa de su condición de esposa de un político, mi hija se vea expuesta a todas las penas y sinsabores que ello acarrea

fue en verdad ese seudo revolucionario haragán e irritable descrito en las biografías, raramente despierto antes de mediodía, que una vez desayunado y vestido se escabullía de la villa de Argenteuil y problemas de familia para perorar de política en los cafés y meterse de paso en algún lío de faldas?

la correspondencia de Jennychen con Tussy revelaba en cualquier caso la existencia solitaria, abrumada con maternidades y faenas arduas, de la hija predilecta de Marx

no puedo mandarte saludos de Charles, porque últimamente no se le ve el pelo!

me he acostumbrado a estar sola! Charles, desde hace tiempo, apenas se asoma por casa y yo no me he movido de ella en los últimos seis u ocho meses!

te aseguro que hago cuanto está a mi alcance para cumplir el trabajo diario del hogar y los niños, sin permitirme el lujo de hojear un periódico, por no hablar ya de un libro!

lo peor es que, aunque trabajo como una negra, Charles no para de gritarme todo el tiempo que está conmigo!

(quién leía las cartas con voz tenue, casi en sordina? una locutora o actriz profesional o alguien había grabado la auténtica voz de Jennychen?)

mil preguntas, fruto quizá de las observaciones incisivas de Ms. Lewin-Strauss, acudían compulsivamente a tus labios

cómo entender que una mujer teóricamente emancipada y culta como ella se resignara a tal tiranía doméstica, una forma de esclavitud más acerba que la denunciada con vehemencia por Moro a lo largo de su vida? había sido educada en su niñez a juzgar la célula familiar como algo estrictamente privado, sin proyección social alguna? no se habían percatado Moro y Jenny en sus visitas a Argenteuil de que el descuido e insensibilidad de Longuet, sus escenas de cóle-

ra y, sobre todo, sus deudas revivían en su hija el lúgubre pasado de Dean Street y minaban lentamente su salud quebradiza? la agotadora sucesión de partos, sufrida con estoicismo por Jennychen, no formaba parte acaso de ese supuesto orden inmutable y natural de las cosas desmontado con brillantez y clarividencia en los escritos de Marx? nadie había prestado atención a sus gemidos de dolor, atribuidos por el malhumorado Longuet al puerperio y provocados en verdad por el cáncer que la corroía?
sólo en el umbral de la agonía había confiado a Tussy la gravedad de su dolencia y desamparo, en una carta conmovedora recibida por la destinataria después de su tránsito!
el dolor de Marx al enterarse, como si, en testimonio de Eleanor, le hubieran leído su sentencia de muerte, bastaba para absolverle de su aceptación tácita del orden patriarcal según el cual la mujer estaría condenada ab initio a las servidumbres caseras y cuidado de los hijos por unas intangibles razones fisiológicas ajenas a todo escrutinio? el rechazo marxista de las llamadas utopías proudhonianas y ácratas defendidas por Léonie Rouzade respecto a la urgencia en resolver las cuestiones prácticas de su sexo mediante la educación colectiva de los niños y su participación en la vida social, no sería directamente responsable del destino de Jennychen, víctima de sus sucesivos embarazos, soledad e indiferencia del marido a la edad de treinta y nueve años?
el decorado alegre de su habitación, con todos los libros que no volverá a leer, llena aún de las risas que no volverá a escuchar, confiere al ámbito un aura de terror sagrado, realzado todavía por el silencio denso y tangible de Modena Villas en la fecha misma de su inauguración!
qué aguardan para tocar y moverse los músicos e invitados de abajo? se ha suspendido la fiesta o rodaje? o guardan quizá como tú unos breves instantes de recogimiento en recuerdo emocionado de Jennychen?

la voz gangosa del director, voyons, Marx, la Comtesse! tout le monde est prêt? precederá la más aguda de la script, *La Baronne Rouge*, séquence première, prise quatrième, seguida del golpeteo o tijeretazo de la claqueta!

6

Resolverás aclarar las cosas con el propio Marx
también él ha huido del bullicio y agitación de abajo y fuma a solas en su despacho, con la vista perdida en el bosque (fingido?) de Maitland Park
(la gran chimenea encendida, los ventanales y sofá de cuero, no corresponden más bien a los del edificio de Maitland Park Road, al que Moro, Jenny, Tussy y Lenchen se mudaron once años después, tras el matrimonio de Laura y Jennychen?)
al divisarte, el monóculo ajustado a la órbita parecerá condensar una mirada irónica, mezcla astuta de malicia y placer
vaya, mi paciente y buen amigo escritor! no se ha cansado Vd. aún de resolver los trapos viejos de la familia?
tú: como recibí su tarjeta de invitación, he querido aprovechar la oportunidad para charlar con Vd. unos minutos!
él: y quién diablos le ha mandado la tarjeta? desde luego, yo no!
tú: mire, aquí la tengo!
él (sin inmutarse): entonces habrá sido Möhme o el director de ese detestable guión televisivo!
(cuanto ha sido descrito con minucia por visitantes asiduos u ocasionales del padre del socialismo científico, exento ya de las zozobras materiales que le acosaron durante veinte años gracias a la liberalidad de Engels, figura puntualmente en el cuadro

la caja de cigarros que te alarga, es de origen cubano o exhibe el prestigioso reclamo de las fajas litografiadas de Davidoff?)
él: puedo ofrecerle uno?
tú: tan sólo curioseaba la marca! en realidad, no fumo!
él: hay algo en mi casa que no haya curioseado Vd.?
su aire de actor profesional, habituado a las tablas, a la celeridad y precisión de la réplica, acentúa tu sensación de incomodidad, incertidumbre
el hombre sentado frente a ti, es el verdadero Marx o el personaje de tu novela, peor aún el protagonista del serial de coproducción comunitaria escrito por dos luminarias de la brillante intelligentzia francesa?
él: sea como fuere, aquí estoy para responderle! espero que no me robe Vd. mucho tiempo! mis invitados me aguardan abajo!
tú: no quisiera ser indiscreto, pero la frase de Tussy después del baile con la condesa Hatzfeldt transcrita en el guión, no concierne en verdad a esa Frau Tenge de quien habla Vd. admirativamente en sus cartas?
él: la misiva de mi hija que cita es posterior a esta charla y, en buena lógica, no deberíamos hablar de ella pero, ya que toca Vd. el tema le contestaré! Vd. y cuantos escriben novelas, biografías o guiones de cine sobre mi familia son incapaces de comprender el humor travieso de nuestras relaciones! Tussy, como sus hermanas, mantenía conmigo un vínculo delicioso lleno de sobreentendidos, picardía, complicidad! la boda de las mayores acabó desdichadamente con todo esto!
tú: al releer la correspondencia de sus hijas, uno se queda con la impresión de que su esposa, voluntariamente o no, permanecía al margen del juego!
él: como le habrá enseñado su oficio, hay que poner las cosas en su contexto! mi mujer había sufrido lo indecible en

los años de Dean Street, tenía los nervios deshechos y se adaptaba difícilmente al natural deseo de independencia de unas chicas ya mayorcitas! ellas eran a fin de cuentas lo único que la unía a la vida y necesitaba de ese calor afectivo que le procurarían más tarde los nietos!
tú: la aceptación resignada o ilusa de sus yernos contrasta con la oposición tajante de Vd. al noviazgo de Eleanor! a pesar de su proclamada admiración por la obra histórica de Lissagaray sobre la Comuna, impidió obstinadamente la felicidad de su hija para quien ese rechazo parecía incomprensible!
él: cuando mi hija mayor se prometió con Longuet, mi mujer tuvo una corazonada que resultó desdichadamente cierta! me permite que lea estas líneas suyas, destinadas a una de sus amigas?

> *sinceramente, había esperado que, para cambiar, la elección de Jennychen recayera en un inglés o alemán en vez de un francés, cuyo carácter, junto a sus cualidades nacionales de seducción, adolece de flaqueza e irresponsabilidad*

tú: la descripción se ajusta como vitola al habano a Lafargue y Longuet, pero Lissagaray mostró ser justamente a lo largo de la vida mucho más serio y honesto!
él: tras la experiencia de Jennychen, en la que Vd. mismo me reprocha mi laissez faire, cómo podía admitir el noviazgo de una chiquilla de diecisiete años con un hombre del doble de su edad y, por añadidura, revolucionario y francés! aquello habría sobrepasado el límite de cuanto mi esposa era capaz de aguantar!
tú: a ello iba precisamente! a su desquiciamiento e histeria tantas veces mencionados en su correspondencia con Engels! una carta de Laura a Jennychen cuenta que un día entró en la habitación en donde charlaba con un amigo de su edad en un atuendo casero que más que ocultar descubría su cuerpo, un lance que la colmó de vergüenza y humillación!

él: mire Vd., señor novelista! quien haya sobrellevado una décima parte de lo que ella soportó por mí y por sus hijas tire la primera piedra! los «Breves esbozos» de su pluma reflejan crudamente el drama que vivió y su resignación heroica al mismo! algo más allá de las fuerzas de cualquier ser humano! por eso dije y sostengo que mi matrimonio fue un error! quien se consagra como yo a una empresa tan aleatoria como la lucha por una sociedad nueva y justa no debe embarcarse en ella con toda la familia!
la irrupción in promptu del asistente de dirección a los gritos de Monsieur Marx, Monsieur Marx, on vous attend dans le salon pour répeter la séquence avec Tussy, pondrá un final abrupto a vuestra breve y onírica conversación!

7

De nuevo, las órdenes e indicaciones del equipo de rodaje disponen el movimiento de los actores en la planta baja
un, deux, trois, attention!
Tussy, tu dois te faufiler parmi les jéunes gens que regardent le bal et fixer ton père, d'abord avec surprise, puis avec un air malicieux, t'as compris?
cuando los últimos bisbiseos y advertencias son acallados por la claqueta, el baile inaugural de Modena Villas vuelve a recomenzar
penetrarás en el dormitorio de Tussy y la hallarás sentada a la mesa cubierta de papeles, libros y chucherías
Eleanor Marx redacta meditativamente una carta
un buen lapso (diez, once años) parece haber transcurrido desde su retrato infantil y su aspecto y carácter de ahora

concuerdan más bien con los descritos por Marian Skinner algún tiempo más tarde
(posee una vitalidad pasmosa, una sensibilidad extraordinaria y es la criatura más dichosa del mundo cuando no la más desgraciada!
su apariencia suspende y cautiva y, aunque no sea realmente bella, un no sé qué da la impresión de que lo es a causa de sus ojos radiantes, semblante luminoso, cabellera oscura y espléndida)
concluida la redacción del billete, tras tachar y corregir algunas palabras, procederá a leerlo en voz alta

Mi querido Moro, desearía pedirte algo a condición de que prometas de antemano que no te enojarás conmigo! quisiera saber, querido Moro, cuándo tendré el derecho de ver a L.! es tan duro para mí no verle! he hecho los mayores esfuerzos para ser paciente pero es muy difícil y tengo la impresión de que no aguanto más!
no espero que me digas que puede venir aquí, no aspiro a tal dicha! mas, por qué no podría de vez en cuando salir con él de paseo? nadie se sorprendería de vernos juntos pues todo el mundo conoce nuestro noviazgo! hace tanto que no lo he visto que comienzo a sentirme mal de verdad y todas mis tentativas de mantenerme alegre y equilibrada fracasan! créeme, querido Moro, el hecho de verle a ratos me sentaría mejor que todo el recetario del Dr. Anderson, lo sé por experiencia! no te enfades, por favor, de que te escriba esto y perdóname por ser lo suficientemente atrevida como para importunarte una vez más, tu Tussy

mientras ella pasa la carta en limpio, te escurrirás de la habitación de puntillas y volverás al despacho de Moro
aprovechando una nueva pausa en el rodaje, Marx se ha refugiado en la fecunda soledad de su ámbito y fuma silenciosamente un cigarro con la vista perdida en sus volutas de humo

tú: excuse que le interrumpa una vez más pero cuanto me dijo hace unos minutos no aclara mis dudas sobre su actitud con Eleanor! si uno analiza la vida de ella, inmediatamente percibe una sed frenética de independencia, de emanciparse económicamente como maestra en un pensionado de señoritas de Brighton, o como alumna de los cursos de Mrs. Vezin en su academia de arte dramático! sus cartas a Jennychen, atrapada también en su jaula de Argenteuil, son auténticas llamadas de socorro, mensajes embotellados de náufrago! debemos, cada una de nosotras, vivir nuestra vida! su insistencia en el *nuestra* revela un ansia conmovedora de afirmar su personalidad, demostrar a sí misma y a los demás su capacidad de hacer algo! la falta de medios para seguir sus estudios y la callada por respuesta de Vd. a sus peticiones de ayuda, unidos a su terco rechazo de Lissagaray, fueron la causa real de su anorexia e insomnios, sus crisis de depresión profunda! desde muy joven sabía que guisar, lavar, fregar no encajaban con su carácter y nunca sería una decente Hausfrau! por ello, todo su ser se sublevaba a la idea de seguir dependiendo de Vd., viendo pasar, cumplidos los veintisiete años, la última oportunidad de crearse una situación profesional llevadera! no reparó Vd. en que, no obstante su afecto y cariño por ella, el peso de su inteligencia y personalidad la abrumaban e impedían vivir por su cuenta? mientras ella luchaba como una desesperada por abrirse paso en el mundo del teatro, estudiaba a Shakespeare a fondo y se comprometía apasionadamente con la causa irlandesa, Jenny la juzgaba egoísta y seca y Vd. se quejaba de que no la ayudara lo suficiente en sus investigaciones en el Museo Británico! no cree hoy, con la distancia del tiempo, que el natural deseo paterno de guardarla a su lado no contribuyó a su decisión de alejarla de Lissagaray y, finalmente, a cortarle las alas? su amor posesivo e interesado le cegó al punto de no ver que sacrificaba por Vd. los mejores años de su vida?

absorto en la vehemencia de tu propio discurso, no has advertido siquiera la ausencia de su destinatario!
Marx, tu personaje o el actor del culebrón televisivo parece haberse desvanecido, sólo el aroma de su cigarro flota y se demora en el despacho repentinamente vacío!

8

La habitación de Tussy tiene las luces apagadas
invadido por la irrealidad de la orquestina y el ajetreo de invitados procedentes de abajo, te internas en ella como en una sala de cine, con la vista fija en la pantalla superpuesta a su ventana ciega
nadie ocupa la fila de butacas visibles apenas en la penumbra, eres el único espectador!
contemplarás fugaces diapositivas de Eleanor a solas o en familia, de sus colaboraciones periodísticas en *Today* y *Monthly Magazine of Scientific Socialism*, del frontispicio de ejemplares de la *Historia de la Comuna* de Lissagaray y *Madame Bovary* vertidos por ella al inglés
la sombra de la mujer que surge y desaparece de la pantalla, entusiasta de Flaubert e Ibsen al extremo de aprender noruego para traducir *Un enemigo del pueblo*, militante activa en los movimientos afines a las doctrinas paternas, editora de obras contemporáneas de Shakespeare, comentarista de Shelley, orgullosa a diferencia del padre de su origen judío, combatiente por el derecho de las mujeres a la educación sexual tras su descubrimiento de que se les vedaba la lectura del *Kama Sutra* en el Museo Británico, aleccionada por el ejemplo de Longuet y el final indecible de Jennychen, sabía que a la muerte de Moro iba a poner su destino en manos

de un hábil manipulador, deshonesto y falsario, virtuoso en el arte de embaucar, chantajista ocasional y mujeriego cínico y consumado?
con su tarjeta de presentación de doctor, autor teatral, catedrático en ciencias, polígrafo y propagandista ateo, quién podía adivinar al comienzo que su seducción de una Eleanor frágil y falta de confianza en sí misma pero aureolada del prestigio paterno sería sólo un expediente oportunista de ruptura con la National Secular Society en la que militaba y de paso con su ex amante Annie Besant
(no sin apropiarse antes de una parte de los fondos de dicha sociedad, hecho denunciado públicamente por su ex compañera de lecho y causa)
a fin de anunciar una conversión casi paulina a las ideas de Marx e iniciar así una carrera meteórica en el movimiento socialista encabezado por Engels?
voz en off: los quince años de unión libre de Eleanor con Edward Aveling son fértiles en toda clase de actividades culturales, intrigas políticas, repetidas acusaciones de nepotismo y fraude
diapositivas sepia de la pareja la muestran presidiendo un mitin unionista con las ramas más radicales del socialismo británico, en el estreno de una de las mediocres obras dramáticas del polifacético autor, con motivo de una conmemoración del aniversario de la muerte de Marx y proclamación de la Comuna por la Asociación Educativa de Trabajadores Comunistas Alemanes en el cementerio de Highgate, en la que el honor del discurso recayó precisamente en Aveling
voz en off: el joven George Bernard Shaw, que frecuentó a Eleanor y su amante en aquella época, describe a la pareja en su obra teatral *El dilema del doctor*, representando al último, en su personaje del pintor Dubedat, como un individuo que,

bajo la máscara de grandes ideales humanitarios y artísticos, busca únicamente el provecho y las presas fáciles

un aparato situado a tu espalda proyectará en la pantalla fragmentos de entrevistas con el anciano autor de *Pigmalión* y el veterano dirigente alemán Karl Kautsky

G. B. SHAW: Eleanor, pese a su inteligencia y lucidez, fue una víctima consentida de un hombre que carecía por completo de escrúpulos en asuntos de dinero y de faldas!

KARL KAUTSKY: sus enredos femeninos, añadidos a sus continuos trapicheos monetarios, a veces a costa de sus mejores amigos, empañaron su reputación dentro del partido, hasta el punto de que se le evitaba! pero en privado, era un comediante tan perfecto que ni Engels ni siquiera Tussy, por no hablar de mí, se dieron cuenta de nada! desde luego oí decir a menudo que Aveling era un sujeto poco recomendable pero quien quería averiguar en qué se fundaba dicha acusación no obtenía nunca una respuesta clara, así, suponíamos que la animadversión contra él provenía del odio al marxismo y la familia de Marx!

la pantalla se oscurece paulatinamente y no sabes si se trata de un corte de corriente o es el final del documental

a tientas, sales del dormitorio de Tussy y la intensidad de los proyectores del plató te deslumbra

Jenny o la actriz que la encarna baja majestuosamente la escalera como una auténtica von Westphalen!

abajo, las parejas de jóvenes invitadas a Modena Villas remolinean y giran al ritmo veloz, endiablado de los valses!

9

El decorado de la habitación representativa del despacho de Maitland Park muestra igualmente la caducidad de cosas y seres, el paso inexorable de los años

tu personaje o actor del folletín televisado rebasa la sesentena y su aspecto concuerda con el descrito por sir Montstuard Grant-Duff, su vecino de mesa en la cena ofrecida por la hija mayor de la reina y esposa del heredero de la corona imperial alemana en el aristocrático Devonshire Club

hombre pequeño y tirando a delgado, cuyo cabello y barba grises crean un curioso contraste con el bigote todavía negro, de rostro más bien redondo, frente armoniosa y convexa, mirada adusta, pero de expresión en conjunto amena en los antípodas de su imagen de un caballero acostumbrado a devorar niños en su cuna

su conversación es la de una persona cultivada o, por mejor decir, docta, interesada en la gramática comparada y conducida por ello al estudio del eslabón antiguo y otras materias insólitas

me ha dado la impresión muy positiva, ligeramente cínica y sin una pizca de arrebato, de alguien capaz de retener la atención y expresar en mi opinión ideas muy justas cuando habla del presente y pasado, pero insatisfactorias y vagas tocante al porvenir

el maniquí cuidadosamente sentado a la mesa del despacho rodeado de retratos de familia y amigos, ceniceros, cerillas, pipas, cigarros, obras de consulta y borradores del estancado manuscrito de *El Capital*, alejado poco a poco por voluntad propia de los actos públicos y asambleas revolucionarias, absorto en el estudio simultáneo de diferentes ramas del saber científico y antropología con objeto, decía, de integrarlas en su obra maestra

(pero que, como temían con razón Jenny y Engels, era el pretexto ideal para divertirle de ella)
libre ya de cuidados materiales aunque no de su tenaz furunculosis y problemas familiares, sospechaba siquiera que, décadas después, se convertiría en bandera portavoz de los oprimidos de la Tierra? que, tras las ásperas disputas y divisiones de la Segunda Internacional, su legitimidad y herencia serían objeto de una lucha feroz entre seguidores de corrientes diversas, el futuro «social-traidor» Bernstein, el futuro «renegado Kautsky», a partir de una lectura sui generis, fruto de la tradición mujic y despótica rusa, de la facción bolchevique de Lenin y su indeseado delfín georgiano? que docenas de millones de mujeres y hombres se alzarían contra el orden burgués, abrazarían su legado, transformarían sus textos en armas de combate, los codificarían en una especie de catecismo intangible y sagrado? que su palabra llegaría a los rincones más apartados del mundo, iluminaría inteligencias silvestres, calentaría enteleridos corazones, induciría a una muerte heroica a los humillados y ofendidos movidos por su fe en la derrota de los explotadores y confianza en un mañana justo e igualitario? que tres generaciones de rusos sacrificarían sus vidas para atestiguar de buen grado o por fuerza la verdad de su doctrina y aceptarían chekas, gulag, pelotones de ejecución como prueba suprema de ella? que mil millones de chinos, de esa misma China definida por él como momia cuidadosamente conservada en un ataúd hermético, salmodiarían ritualmente su nombre en el ceremonial o liturgia presididos por el Gran Timonel y sus sucesores?
qué tenía que ver el sereno patriarca barbudo fotografiado meses antes de su muerte con el profeta laico del siglo veinte, sepulturero del capitalismo y terror de las clases pudientes? con esa efigie bifronte de redentor y diablo esgrimida por tus paisanos de uno y otro campo en tres años de sañuda guerra e indiscriminado exterminio?

la figura inanimada devuelta a su despacho durante el rodaje del serial en Modena Villas, no reproducía por el contrario la estampa de un luchador jubilado, asiduo a curas de agua en los mejores balnearios, invitado de honor a recepciones oficiales berlinesas con la harina de flor de la nobleza, amigo de profesores, médicos y notables a lo largo de sus estancias con Tussy en Carlsbad, interesado sobre todo, como revela su correspondencia, en el cotilleo sobre la vida amorosa de Wagner? la de ese señor mayor, cuya esencial preocupación, junto a su inextinguible apetito de saber, se centraba en el micromundo de los juegos y risas de sus nietos, a quienes dejaba cabalgar en sus hombros como un ómnibus tirado por Engels y Liebknecht a través del jardín, azuzado por sus gritos alegres o que corría a la ventana cuando creía oír su voz aun a sabiendas de su regreso a Francia y sostenía con travieso humor que la conversación de la criatura de seis meses de Pumps, la sobrina de Mary y Lizzy Burns con quienes Engels convivió sucesivamente, era sin discusión alguna mucho más interesante que la de su mimada y caprichosa madre, instalada en Londres a la sombra de su tío y benefactor?
un cuaderno dactilografiado en el rimero de libros de la mesa atrae de modo irresistible tu curiosidad y lo cogerás después de asegurarte de la inmovilidad del maniquí o figura de cera
un fragmento inédito de la obra inconclusa de Marx?
no! un ejemplar del guión de la *Baronne Rouge* olvidado allí por el equipo que rueda en el plató!

con un fondo musical de Johann Strauss, Karl y su esposa observan enternecidos a Jennychen y Laura bailando con sus respectivas parejas

JENNY: *soy feliz, Karl! después de tantos años de sufrimiento, me parece vivir un sueño!*

KARL MARX: *no es un sueño, querida! nuestra vida no será*

jamás la de antes! ahora podré consagrarme a ti y a las niñas! te lo prometo, el año que viene acabaré El Capital!
(inútil precisar que dicho diálogo no viene de fuente histórica alguna y es producto genuino de la fecunda inventiva de la guionista!)
interrumpirás la instructiva lectura imaginando el arrobo de tu editor
una vez más has malogrado con formalismos inanes la posibilidad de una novela y adaptable a las artes visuales, núcleo germinal de un taquillero y popular guión de televisión!

10

La estudiada combinación de juguetes de niña y libros correspondientes a lecturas de persona mayor con detalles de época que, a causa mismo de su verosimilitud exagerada, introducen subrepticiamente una nota de artificiosa reconstitución, han convertido el dormitorio de la chiquilla de nueve años que recibe alegremente a sus amigas en el baile inaugural de Modena Villas, en un decorado de filme intimista o fotonovela de corazón
cómo explicarte a ti mismo y explicar a los demás la increíble combinación de fuerza intelectual y vulnerabilidad emotiva de una mujer del fuste y valía de Eleanor?
la muerte del padre, distanciamiento e indiferencia de Laura, rivalidades con Louise Kautsky enviada por los socialistas alemanes a desempeñar el secretariado de Engels tras el fallecimiento de Lenchen, las intrigas en torno al testamento y destino de la correspondencia privada paterna, unidos a la constante labor de zapa de las infidelidades y falta de escrúpulos de su pareja, minaron lentamente su capacidad

de resistencia, como Longuet y las servidumbres domésticas acabaron con la de Jennychen?
la mujer descrita por Emma Cons, de traza descuidada y apariencia enfermiza, como si se drogara o recurriera al uso de estimulantes, era la misma persona, llena de gracia y vida, reflejada años atrás en los testimonios y cartas de sus amigas?
la intimidad creciente con Freddy Demuth en sus visitas dominicales a Lenchen en las habitaciones de servicio de la casa de Engels, le habían hecho presentir su condición de hermanastro o alguien le había insinuado el origen de su nacimiento antes del curioso episodio de la revelación narrado por la ex esposa de Kautsky? el trato inferior y a todas luces injusto de su presunto padre, el hecho en verdad sorprendente de que su proverbial generosidad no se extendiese a él al extremo de no mencionarlo siquiera en el testamento, alimentaron su sentimiento de oscura culpabilidad y crearon con Freddy ese vínculo casi visceral que le ayudó a sobrevivir a tanto desengaño?
el hijo de Moro y Lenchen, no había sido sacrificado en cualquier caso en el altar de la nueva respetabilidad revolucionaria como cualquier bastardo en el de la hipócrita moral burguesa? su innato sentido de justicia y solidaridad con el paria no fueron en verdad el factor determinante de esta amistad y confianza preciosas en un mundo personal de incertidumbre y desengaños, edificado sobre arenas movedizas? qué consuelo podía sacar de las doctrinas liberadoras del proletariado en el infierno de su propia vida?
cuando Edward Aveling contrajo secretamente matrimonio con una aspirante a actriz de veintidós años y abandonó de improviso su hogar en agosto de 1897 tras haber dilapidado los bienes legados a Eleanor por Engels, a quien sino a Freddy Demuth podía recurrir ésta en demanda de ayuda?
la pantalla súbitamente iluminada al fondo del dormitorio

infantil de Tussy, reproducirá una diapositiva con el texto de la carta dirigida a su hermanastro

estoy enfrentada al dilema más lúgubre! completa *ruina, todo*, hasta el último penique *o público y total deshonor!*

en qué estribó el acuerdo gracias al cual Aveling volvió al hogar y unión aparente con ella? se vio obligada Eleanor a comprar su silencio tocante al matrimonio secreto y paternidad real de Freddy? sufrió aún, como conjetura Bernstein, un chantaje cuya baza sería la venta de los manuscritos de Marx? a qué nuevas pruebas y humillaciones la sometió aquel individuo mediocre pero que síquica y sexualmente la dominaba antes de apoderarse de fondos pertenecientes al partido y desaparecer de su vista para siempre?

la Tussy que en la planta baja de Modena Villas juega con sus amigas a la luz de los proyectores durante el rodaje de la *Baronne Rouge* por un equipo comunitario, se suicidó con ácido prúsico el 31 de marzo de 1898 a la edad de cuarenta y tres años.

11

El volumen e intensidad de la música procedentes de abajo sería capaz de ensordecer a los eventuales ocupantes de las habitaciones desiertas y dormitorios cerrados!

el ritmo vivaz de las polcas, mazurcas y valses se ha incrementado y, desde lo alto de la escalera interior decorada para la secuencia del descenso majestuoso de Jenny von Westphalen, hermana del digno ministro del Interior prusiano y esposa del jefe sulfúreo de la Internacional, se divisa a las parejas de levita y con miriñaque girando como peonzas, alígeras y sutiles como derviches de Konya, sumidas en una

penumbra que acentúa su irrealidad e impregna la escena de una atmósfera fantasmal, visión alegórica de ultratumba!
quién ha dibujado con materia fosforescente el esqueleto de los danzantes, como transparentado a través de sus atavíos y prendas, con calavera, dentadura, órbitas oculares vacías, costillas, vértebras, fémures, tibias, como en las representaciones macabras del Medioveo o las fiestas mexicanas de los Muertos? esta innovación, introducida en el baile inaugural de Modena Villas, forma parte del guión de la película o es fruto, como temes, de tu aviesa imaginación? pues, qué se celebra ahora, el cambio de domicilio y status social de los protagonistas o su extinción uno a uno, voluntaria o por enfermedad?
los esqueletos suntuosamente vestidos de Moro y de Jenny se agitan y bailan! Jenychen y Longuet, están muertos y bailan! Laura y Lafargue, Eleanor y Aveling, Lenchen, su hermana, Freddy Demuth, aunque reducidos a polvo, bailan! también los minúsculos esqueletos dibujados sobre los atuendos infantiles de Guido, Franziska, Musch, de Schnaps, Maigriotte y Marc Laurent, del pequeño Harra, se balancean y bailan! aprisa, Maestro, allegro vivace, el movimiento giróvago debe acelerarse! todo es vértigo, furia y zumbido, el mundo prosigue su rotación solitaria en un espacio infinito, minúsculo como una partícula en un mar de galaxias! todo muda, todo perece, todo queda atrás! el hombre repite ad nauseam viejos errores, acumula torpemente poder y riquezas, reactualiza sin tregua las tragedias de Sófocles! formas de convivencia sutil y civilizada se derrumban en unos días! egoísmo, autosatisfacción, afán de lucro son erigidos en dioses únicos y promovidos a escala universal a costa de los demás sentimientos humanos! no has escuchado la voz de las hormigas? cuando los reyes penetran en el recinto de la ciudad la saquean y convierten a sus habitantes más

nobles en los seres más míseros, pero verás las montañas que creías inmóviles pasar como nubes! un orden impuesto a la fuerza engendra necesariamente desorden, la victoria lleva consigo el germen corrupto de su decadencia, la doctrina que triunfa corre fatalmente a su pérdida! los muertos que hoy bailan resucitarán de sus tumbas y sus ideas, fecundadas por savia espiritual nueva, sacudirán a los hombres de su actual estolidez y modorra, serán otra vez, para todos los oprimidos y hambrientos, la levadura y sal de la tierra!
(quién habla?
tú? una misteriosa voz en off? o figura el discurso en el guión de *La Baronne Rouge*?)
por triste que sea, deberás aceptar la evidencia
sólo el desorientado autor de estas páginas deambula en el escenario vacío de Modena Villas sin saber cómo redactar de acuerdo a los cánones de la crítica y gustos del público (en irónico pendant literario a *El Capital* marxiano)
su dichosa e imposible novela!

IV

EL suspense duró hasta el último día! sustituirían el programa previsto, y al que fuiste convocado por una llamada telefónica del propio realizador, con un producto más competitivo para aquel espacio de gran audiencia a fin de brindar al exigente y sensible telespectador las primicias de un imantador culebrón brasileño, una versión hispana del sutil y altamente ilustrador *Precio exacto* o, mejor aún, esa joya de las artes audiovisuales, fervorosamente plebiscitado por el selectísimo público de la Capital Europea de la Cultura, titulado con gran derroche de ingenio *Su media naranja*? la arrebatiña feroz entre cadenas estatales, comunitarias y privadas por conquistar una audiencia máxima y, con ella, un máximo de ingresos publicitarios, no barrería la discusión de media docena de especialistas en torno a la figura de Marx? a quién diablos le importaba ya, fuera de a un puñado de eruditos, nostálgicos y amargados, la vida y doctrinas, éxitos y fracasos del fundador del movimiento comunista y padre de la Internacional? el descrédito en el que habían caído sus doctrinas y transmutación milagrosa de sus más avispados discípulos en ardientes defensores de la libre empresa y astutos gestores del capital, no habían arrinconado sus antiguallas, como pretendían los nuevos filósofos telegénicos, en el desván de los trastos viejos? imágenes cotidianas de la difunta Unión Soviética, antiguas democracias populares y hasta del heroico Vietnam mostraban la cruda y brutal realidad de los cambios! descoloridas

consignas de cerrar filas para edificar la sociedad comunista cubiertas de anuncios luminosos de las multinacionales niponas, oleadas de ejecutivos del Chase Manhattan Bank, American Express, Time Warner o Pepsi Cola desembarcando como conquistadores en los aeropuertos decrépitos de Kiev, Bucarest, ciudad Ho Chi Minh o Varsovia, discotecas con nombres de moda como «KGB» o «Apocalypse Now» abarrotadas de una nueva clientela experta en los trapicheos del mercado negro y cuyo único dios es el dólar, comisionistas y testaferros de la mafia lavando el dinero del narcotráfico en la adquisición de fábricas privatizadas, empresas exangües, periódicos deficitarios, céntricos bloques de inmuebles, palacios en ruina a precios de saldo!
cómo juzgar objetivamente la obra de un pensador en el que teoría y praxis son inseparables tras el derrumbe en cadena de los regímenes creados conforme a sus doctrinas y la caída de la patria universal del proletariado a niveles tercermundistas? de qué modo explicar en una simple charla las razones por las cuales el ochenta por cien de la población del paraíso celebrado por los tenores de la nomenklatura había sido precipitado de súbito a una vida miserable y sin esperanzas?
cuando el día fijado viste anunciado en los periódicos el programa de José Luis Balbín, con la proyección de *La Baronne Rouge* y el debate sobre Marx, la tensión y ansiedad de la espera se mudaron en inquietud y aprensión
el previsible entusiasmo de tu editor por una adaptación audiovisual llena de peripecias y sentimiento, no enterraría definitivamente su interés por tu malhadado proyecto?
(no dejes de pasar por la maquilladora, te ha prevenido Mr. Faulkner
cualquier consejero de imagen te sugeriría igualmente que cambiases el sempiterno jersei verde por prendas de colores más contrastados! ah, y una sonrisa de vez en cuando con-

quista al público, aumenta según las estadísticas el número de lectores!)
mientras te trasladaban a los estudios en la limusina puesta a tu disposición por la empresa, consultaste febrilmente los borradores de capítulos anteriores, bucando en ellos argumentos e ideas destinados a alimentar la decisiva, esclarecedora discusión.

Instalados en un salón privado, en torno a la mesa dispuesta con un bufete de vinos, refrescos, canapés y fiambres, los invitados al debate y algunos familiares siguen en la pequeña pantalla las vicisitudes del filme sobre el que van a discutir poco más tarde
al entrar tú con retraso, has estrechado algunas manos de especialistas marxianos venidos de Francia, Inglaterra, Polonia, Norteamérica e India
(el apretón de Ms. Lewin-Strauss ha sido enérgico, pero falto de calor)
el televisor reproduce, por enésima vez para ti, el baile inaugural de Modena Villas
(Tussy, tras escurrirse entre los asistentes adultos, contempla con expresión de divertida malicia el baile de Moro y la condesa Hatzfeldt

> TUSSY: papá, quién es la señora con la que bailabas tan amartelado? es tan ingeniosa e inteligente como bella? parecías admirarla mucho y creo que la admiración era compartida! si yo fuese Môhme, me moriría de celos!
> KARL MARX: vamos, Tussy, no digas tonterías!)

abandonas discretamente el salón no tanto para ir a los servicios como para eludir la secuencia del baile y diálogo melodramático entre Moro y Jenny

desde el pasillo, recorrido por técnicos y empleados, descubrirás una pequeña sala de espera cuya puerta entreabierta revela la presencia de un personaje de aspecto conocido
sin atender a los buenos modales, te detendrás a examinarle con calma mientras fuma arrellanado en su asiento
ahora no cabe la menor duda
es Mijail Bakunin en persona!
viste como en la foto de Sergei Levitski con señorial descuido, medio bohemio y medio romántico, y su cuerpo voluminoso, pero muy ligero parece flotar como el de un cisne entre los patos del aguachirle hispano
tú: no es Vd. acaso
él: me temo que sí! aunque no lleve, conforme Vd. me pinta, el estrafalario disfraz de Payaso!
tú: fue una fantasía mía! lo imaginé en una de sus provocaciones antifarisaicas, como padre espiritual de la juventud de Mayo del 68!
él: he apreciado su sentido del humor aunque en las presentes circunstancias sea un tanto excesivo y grueso! mis amigos y yo gastábamos esa clase de bromas cuando el señor Marx pontificaba pero, ahora que su sistema hace agua, no quiero que me acusen de cebarme en él o, si me permite Vd. emplear un refrán de su tribu, de dar a Moro muerto gran lanzada!
(su risa resuena con gran estrépito)
tú: el mundo actual se presta no obstante a esta clase de actos contra el conformismo y tragaderas de nuestra sociedad!
él: cuanto ha ocurrido era perfectamente previsible desde el comienzo! la ceguera de quienes creen poder alcanzar la igualdad económica y la justicia prescindiendo de la libertad ha conducido a la humanidad a un desastre sin paliativos! como no me cansaba de repetir a los afiliados a la Internacional, la igualdad sin libertad es una ficción inventada por trampo-

sos para embaucar a los necios! igualdad sin libertad es despotismo de Estado!
tú: la noción de dictadura del proletariado
él: considero al Señor Marx un revolucionario si no siempre sincero, cuando menos muy serio y comprometido con la insurrección de las masas! pero me pregunto cómo no alcanza a ver que la instauración de una dictadura universal, colectiva o individual, con funciones comparables de algún modo al trabajo de un ingeniero en jefe encargado de regular y dirigir la revolución en todos los países bastaría por sí sola a paralizar y falsear el movimiento popular! clase, poder y Estado son conceptos inseparables e interdependientes que podrían resumirse en estos términos, esclavitud política y explotación económica de campesinos y obreros!
tú: Anselmo Lorenzo, con quien discutí del problema, insistía en las diferencias estratégicas entre Vd. y Marx tocante al derrocamiento de la burguesía y visión del futuro
él: el mal estriba en la busca del poder, el ansia de autoridad, la sed de dominación y Marx adolece gravemente de dichos defectos! su doctrina se presta a ello a la perfección! en cuanto jefe e inspirador amén de principal organizador del partido alemán, es un comunista autoritario, defensor de la liberación y reorganización del proletariado por el Estado, esto es, de arriba abajo, gracias al conocimiento y experiencia de una minoría revolucionaria selecta destinada a ejercer en nombre del socialismo su legítima e ilimitada autoridad sobre las masas!
tú: aunque la realidad creada por el desplome de su sistema dé nueva actualidad a su descripción de los estragos del capitalismo sin trabas no sólo en Rusia y Europa del Este sino en la misma Inglaterra, muestra igualmente que su economicismo excesivo le condujo a uniformizar teóricamente a las sociedades humanas sin prevenir que ello suscitaría a la larga lo que un gran poeta llama venganza de los particularismos!

él: por favor, pare de una vez su grabadora y guárdesela en el bolsillo!
tú: perdóneme! mi propósito era reproducir con exactitud sus palabras, sin caer en las trampas de la memoria!
él: lo que Vd. llama trampas de la memoria son muy útiles para los novelistas! en cualquier caso, no se prestan a manipulaciones como las cintas magnetofónicas!
(Bakunin examina el Sony con la misma repugnancia educada con la que contemplaría una rata muerta y se mantiene en guardia hasta que aprietas el botón de stop y lo retiras de su vista)
él: el señor Marx no tiene en cuenta una serie de elementos como la evidente interacción de las estructuras política, jurídica y religiosa con la situación económica! su doctrina desconoce también la importancia de algo capital en la evolución de la humanidad, el temperamento y carácter de cada raza y de cada pueblo, producto a su vez de factores etnográficos, climatológicos e históricos, de influencia considerable en su destino y la evolución de sus fuerzas económicas, a veces con total independencia de ellas! la actitud de los castellanos del siglo XVI con respecto al oro y de los saudís tocante al petróleo es un buen ejemplo de lo que digo!
tú: va a participar Vd. en el debate? nadie me había informado de ello!
él (esponjándose como un cisne en un lago de serenidad): lo haría con sumo gusto si un hecho elemental no me lo vedara! mi fallecimiento en 1876! cómo hacer admitir al buen público la intervención televisiva de un muerto?
una azafata de los estudios ha irrumpido a gritos en la habitación
ella: dónde se había metido Vd.? le llevo buscando desde hace diez minutos!
tú: mi encuentro inesperado con

ella (sin escucharte): los demás invitados se están maquillando ya! todos debemos estar en el plató dentro de unos instantes!

Guiados por atractivas azafatas, os dirigís al plató de *La clave* mientras televisores estratégicamente dispuestos transmiten las secuencias finales de *La Baronne Rouge*
(Jenny von Westphalen, vestida como corresponde a una dama de su clase, se apresta para partir a una cura de aguas, visiblemente desengañada de Moro y su improductiva utopía
el fondo sonoro de la escena te recuerda por su alto contenido de jarabe de melaza el de la inicial y más taquillera película de Lelouch!)
peinados y maquillados
(excepto tú y Ms. Lewin-Strauss)
os acomodáis en las butacas señaladas con vuestro nombre para que los técnicos de sonido os condecoren con su micrófono diminuto y procedan a los habituales ensayos de voz
el realizador os saluda uno a uno con cordialidad antes de ocupar el asiento central, instalado bajo una inmensa fotografía de Marx, la misma que figuraba antaño con la de Engels, Lenin y Stalin en los desfiles militares de la Plaza Roja conmemorativos de la gloriosa Revolución de Octubre
será tu creciente afinidad con el personaje o una mera ilusión óptica? al observarle de hito en hito tendrás la impresión de que sus pupilas se animan y te miran de reojo, como las de esos Cristos vendidos en los mercados mexicanos a campesinos e inditas piadosos!
con su cabeza leonina, cejas fruncidas de cólera, barba poblada y blanca, conjugando su expresión carismática con un

leve rictus de sarcasmo, el rostro de Moro parece compendiar las virtudes y defectos de su genialidad innata, manifiestos en la configuración orgullosa de los labios y unos ojos brillantes de traviesa, pero innegable bondad
los técnicos os imponen silencio, *La Baronne Rouge* ha concluido!
Balbín aguarda la sintonía y, tras verificar que ha entrado en antena, saludará a los telespectadores con el aplomo y espontaneidad del oficio

> señoras y señores, muy buenas noches! el programa de hoy está consagrado a una de las figuras más polémicas e influyentes de nuestra época! me refiero a Karl Marx, filósofo alemán nacido en Tréveris en 1818 y fallecido en Londres en 1883! revolucionario desde sus años estudiantiles, casado en 1843 con Jenny von Westphalen, una joven de la nobleza renana cuyas vicisitudes, abnegación y desdichas han podido seguir a través del filme, autor con Federico Engels del célebre *Manifiesto comunista*, refugiado sucesivamente en Bruselas, París e Inglaterra a causa de sus ideas subversivas, considerado por unos el redentor de la clase obrera y por otros una encarnación del diablo, fue el creador de la Internacional de trabajadores y padre del socialismo científico que gobernó en la ex Rusia zarista desde 1917 a la ascensión de Yeltsin! convencido de que el mundo poseía desde hacía tiempo el sueño de un futuro mejor y de que bastaría con que tomara conciencia de él para que lo convirtiera en realidad, predicador de una emancipación del ser humano cuya cabeza sería la filosofía y cuerpo el proletariado, Marx es en suma un pensador para quien la sociedad comunista debía ser la solución definitiva a la contradicción existente entre la esencia y existencia del Hombre, el elemento real de su liberación y asunción de su propio destino! inspirador

de un movimiento que extendió su dominio sobre dos mil millones de almas y se presentó como alternativa global a las injusticias del capitalismo, los acontecimientos de los últimos años han dado al traste con sus sueños y puesto al desnudo los errores y horrores del sistema erigido conforme a su doctrina, arrojando sobre ésta y su fundador un desprestigio no siempre merecido! profeta, genio, embaucador, erudito sediento de poder, hombre entregado con generosidad a la defensa de los explotados o todas esas cosas a un tiempo, la personalidad de Marx no deja indiferente a nadie y será debatida a continuación por los invitados aquí reunidos! una frase a menudo citada podría cifrar su doctrina y creo que el propio Marx aceptaría que figurara como emblema de este programa

EN CUANTO SE ADUEÑE DE LAS MASAS, LA TEORÍA SE TRANSFORMARÁ EN VIOLENCIA FÍSICA!

(mirarás el retrato de hurtadillas
Marx parece regocijado por la escena y te guiñará un ojo con festiva complicidad)

a mi izquierda, el profesor Elton Roy, catedrático en la universidad de Oxford, colaborador del célebre marxólogo Robert Payne y autor de una obra titulada *El fin de la utopía*! a continuación, François Punset, filósofo, discípulo de Bobbio y Godelier, a cuya pluma debemos un ensayo sobre *El legado de Karl Marx* fruto no sólo de sus fecundas reflexiones teóricas sino también de una sostenida militancia en el campo político! Ms. Lewin-Strauss, feminista, sexóloga, profesora de la universidad de California y estudiosa de la familia Marx! doctor Panno Lal, insigne historiador, decano de la Facultad de Ciencias Sociales de Bombay, ha dedicado media docena de volúmenes al autor de *El capital* y muy especialmente a su visión del hoy denominado Tercer Mundo! Francisco Carrasquer, miembro de la CNT, combatiente de la Guerra Civil española y refugiado político en Holanda, profesor de literatura y buen conocedor de las ideas de Bakunin! Bruno Vandursky, doctorado en la universidad de Varsovia en la era de Gomulka, emigró a Estados Unidos en 1970 y enseña actualmente historia de las ideas políticas en Saint Louis, Misuri! finalmente, a mi derecha, el autor de la novela que están ustedes leyendo, precisamente en la página

tú: ciento ochenta y cuatro

realizador (jovial): ya lo han oído Vds., ciento ochenta y cuatro! una cifra bastante respetable que, gracias a la colaboración de todos nosotros se acrecentará a lo largo de este programa y le permitirá completar la cuarta parte de su «mamotreto», como cariñosamente le llama!

(hay un coro de risas y, desde la hilera invisible de asientos de los invitados sumidos en la penumbra te parecerá oír la voz furibunda de Mr. Faulkner

pedazo de animal!)

realizador: antes de iniciar la discusión quisiera pedir a los invitados una brevísima opinión sobre *La Baronne Rouge*, el filme que acaban de presenciar!

profesor de Oxford: una obra intimista y amena, pero de escasa profundidad!

discípulo de Godelier: un bodrio de estupidez y cursilería románticas!

Ms. Lewin-Strauss: una película que refuerza los estereotipos sexistas y cimientos de la sociedad patriarcal!

el hindú: creo que refleja muy bien la visión eurocéntrica del mundo!

el ácrata español: lo que el viento se llevó!

emigrado del Este: me gustaría asistir a su proyección en una sala de cine de Varsovia!

tú: el modelo a imitar según mi editor!
realizador: como muestra una escena de *La Baronne Rouge*, Marx estaba convencido en 1848 de la inmediatez de la revolución mundial! su *Manifiesto* era la mecha que debía encender el polvorín! y a lo largo de la década de los cincuenta no cesó de augurar la inminencia de la crisis económica que acabaría con el capitalismo! no obstante, durante la Comuna, su actitud me parece más reservada y cauta!
profesor de Oxford: Karl Marx no fue en verdad lo que hoy llamaríamos futurólogo! sus predicciones jamás se han cumplido! veamos un botón de muestra de sus poderes demiúrgicos, adivinos o mágicos!
(calándose las gafas para leer)

> la moderna producción capitalista, con apenas trescientos años de historia y sólo cien de dominio absoluto merced a la creación de la gran industria, ha originado en este breve lapso contradicciones tan graves en términos de acumulación de capitales en unas pocas manos y concentración de masas urbanas desposeídas de todo que conducirán necesariamente a su pérdida!

(tras quitarse las gafas con autosuficiencia)
la descripción de lo que hoy sucede a escala planetaria es bastante exacta, pero el poder y control de las multinacionales es más fuerte que nunca!
discípulo de Godelier: vayamos por partes y no mezclemos las cosas! el cambio en la base económica trastorna con mayor o menor rapidez, según Marx, toda la superestructura de la sociedad! cuando se examina dichos trastornos hay que distinguir siempre el cambio material de las condiciones de producción económica verificables con rigor científico y las formas jurídicas, políticas, religiosas, artísticas o filosóficas, en corto, ideológicas conforme a las cuales los hombres cobran conciencia de dicha transformación y la llevan a su conclusión lógica! pues de igual manera que no podemos juz-

gar a un individuo por la idea que se forja de sí mismo, tampoco podemos juzgar una época de grandes mutaciones por su conciencia de sí! hay que explicar, al contrario, dicha conciencia por las contradicciones de la vida material, por el conflicto existente entre las fuerzas productivas sociales y las relaciones de producción! por dicha razón, la humanidad no se plantea nunca problemas insolubles! si analizamos las cosas con atención, descubriremos siempre que los problemas sólo aparecen allí donde las condiciones materiales existen o se hallan al menos en germen!
el emigrado del Este: en eso estamos plenamente de acuerdo mi estimado colega y yo! cuando los sistemas marxistas defendidos por él se derrumbaron, las desastrosas condiciones materiales creadas por el comunismo habían engendrado ya un conflicto entre las fuerzas productivas sociales y las relaciones de producción que se resolvió con la rapidez que todos conocemos! las leyes de Marx se cumplieron, pero contra su descubridor!
discípulo de Godelier: cree Vd. que este cambio ha mejorado las condiciones de vida de su pueblo o la de los de la ex Unión Soviética? si nos fiamos de las propias estadísticas occidentales, la mayoría de la población se ha hundido de pronto en una irremediable pobreza mientras un puñado de especuladores a sueldo de Alemania, Japón o Norteamérica amasa gigantescas fortunas!
profesor de Oxford: Marx fue el autor de una frase célebre, «el peso de las generaciones difuntas perdura como una pesadilla en el cerebro de los vivos»! no piensa Vd., mi apreciado colega, que dicha observación se aplica justamente a la carga agobiante del socialismo real en la mente de quienes como Vd. profesan aún, contra viento y marea, la doctrina marxista?
realizador: creo que el público desearía conocer el significado de estos términos de estructura y superestructura tan fre-

cuentes en el lenguaje de Marx, tal vez Ms. Lewin-Strauss
Ms. Lewin-Strauss (irónica): confiemos tan grave materia a mi esclarecido colega francés!
discípulo de Godelier: la producción de las ideas, de las representaciones y de la conciencia se halla directa e íntimamente mezclada con la actividad y comercio de los hombres, es el lenguaje de la vida! incluso las fantasmagorías del cerebro humano son sublimaciones resultantes de su vida material, comprobables de modo empírico y asentadas en bases concretas! en consecuencia, ética, religión, metafísica, así como las formas de conciencia que les corresponden, pierden cualquier apariencia de autonomía!
ácrata español: qué significado y valor atribuye Vd. entonces a la crítica moral de la sociedad, a la lucha contra el supuesto nuevo orden internacional y sus crímenes?
discípulo de Godelier: la invocación a la moral y el derecho no nos hace progresar científicamente un milímetro! la ciencia económica, nos dice Marx, no puede aceptar la indignación moral, por justificada que fuere, como un argumento sino como un síntoma! su objetivo es mostrar que las anomalías sociales son consecuencia necesaria del modo de producción y, simultáneamente, signos de su descomposición creciente! es descubrir en el interior de la forma del movimiento que se disgrega los elementos de una organización futura de la producción y del cambio que eliminará dichas anomalías! los arranques de cólera del poeta valen como descripción de aquellas o como ataques a los bardos de la armonía al servicio de la clase dominante que las embellecen o niegan! pero la historia nos muestra en cada época su valor apodíctico nulo!
el hindú: creo que la doctrina de Marx tocante a la invalidez del factor moral en los cambios históricos entraña un peligroso sofisma! partir en guerra contra la esclavitud u otras injusticias flagrantes y volcar en ellas una indignación ética superior, nos dice por ejemplo, está al alcance de cual-

quier alma noble mas dicha actitud no nos enseña nada sobre el modo en que surgieron dichas prácticas, las causas por las que perduraron y el papel que desempeñaron en la historia! es más, añade, si analizamos este problema con detenimiento, nos vemos precisados a admitir, por contradictorio y herético que ello parezca, que la introducción de la esclavitud en las circunstancias de antaño significó un gran adelanto! es un hecho establecido según Marx, y aquí hago mías sus palabras, que la humanidad comenzó a partir del animal y tuvo que recurrir a métodos coactivos casi bestiales para salir de la barbarie! dados los antecedentes históricos del mundo primitivo, la marcha paulatina de una sociedad fundada en la oposición de clases sólo podía realizarse en forma de esclavitud! dicho razonamiento, basado en la existencia de épocas de progreso gradual como las de los modos de producción asiático, antiguo, feudal y burgués lo indujo a aprobar el papel positivo e innovador del colonialismo! por triste que sea desde el punto de vista de los sentimientos humanos la desaparición de sociedades patriarcales, laboriosas e inofensivas, escribe, la intervención imperialista inglesa, al zapar el fundamento de estas comunidades semi-bárbaras, semi-civilizadas, llevó a cabo la única revolución social de la historia de Asia! así, a pesar de que Europa actuaba por intereses sórdidos, fue el instrumento de la Historia al ejecutar dicha revolución y tenemos derecho a exclamar con Goethe

quién lamenta los estragos
si los frutos son placeres?
no aplastó a miles de seres
Tamerlán en su reinado?

lo malo es que nadie puede explicar hoy cuáles fueron los placeres legados por el colonialismo en Asia, África ni Mesoamérica, ni desde luego los del comunismo allí en donde se impuso a la fuerza!

emigrado del Este: esa insensibilidad moral de raíz maquiavélica, puesto que el fin justifica los medios, nos aclara la crueldad y despotismo de Stalin, investido por la doctrina de Marx de la suprema dignidad de realizar el Gran Proyecto!
(alzarás fugitivamente la vista al retrato gigante de Moro
las cejas son como matas de helecho y los ojos parecen echar chispas!)
ácrata español: en mi opinión hay algo mucho más grave! al desvalorizar la crítica moral de las injusticias pasadas y presentes en nombre de una ciencia evolucionista influida por el darwinismo, de leyes rigurosamente científicas que, como podemos verificar hoy, han resultado falsas, quita a quienes nos enfrentamos al nuevo desorden mundial y los estragos del liberalismo sin trabas en las economías arruinadas por su sistema de la única arma de la que disponemos! puesto que el marxismo no es un descubrimiento científico sino una teoría elaborada a partir de premisas justas pero de conclusiones erróneas, solamente podemos recurrir a los viejos sentimientos de indignación, solidaridad y compasión ante las iniquidades existentes entre Norte y Sur, la expoliación sin precedentes de las multinacionales, los siniestros conflictos étnico-religiosos, la miseria en la que vegetan la mayoría de los seres humanos!
profesor de Oxford: Marx abrumó a la burguesía con la carga de todos los crímenes e injusticias a veces reales que observó de visu, pero su remedio fue peor que la enfermedad!
discípulo de Godelier: su concepción de la sociedad burguesa no es tan negativa como mi querido colega pretende hacernos creer! las categorías que expresan las relaciones de dicha sociedad y facilitan la comprensión de sus estructuras, nos permiten captar, dice Marx, la composición y relaciones de producción de todas las sociedades del pasado sobre cuyas

ruinas se ha edificado y de las que subsisten en ella vestigios aún perceptibles, de la misma manera que las potencialidades anunciadoras de una forma superior de las especies animales inferiores no pueden ser comprendidas sino cuando la forma superior es una realidad cognoscible! la burguesía desempeña así para Marx un papel revolucionario en la historia de la humanidad, obrando maravillas comparables a las pirámides de Egipto, acueductos romanos e iglesias góticas! ha puesto en marcha las fuerzas productivas que dislocan el estrecho marco de la propiedad capitalista y hacen posible la abolición de la sociedad clasista por una revolución proletaria!
profesor de Oxford: pura fantasía ideológica! a eso le llamamos en inglés wishful thinking!
emigrado del Este: qué maravillas ha creado la sociedad comunista infligida a casi medio mundo de acuerdo a los dogmas de Marx? Chernóbil, el gulag o el mausoleo de Lenin?
discípulo de Godelier (impertérrito): a diferencia de la sociedad preindustrial cimentada en la conservación inalterable de los modos de producción, la burguesía, escribió con gran agudeza, no puede existir sin revolucionar constantemente los instrumentos de aquélla y, por consiguiente, sus relaciones y las de toda la sociedad! la época capitalista y su prolongación tentacular financiera se distinguen de los períodos anteriores por la transformación continua de la producción, perturbación incesante de las condiciones sociales, crisis perpetua y agitación! quién ha descrito mejor lo que está ocurriendo hoy con la constante innovación tecnológica y la guerra de las multinacionales a escala planetaria?
realizador: creo que deberíamos tocar un tema de indudable interés para los telespectadores! me refiero a la visión del futuro según Marx y su concepto tan controvertido de dictadura del proletariado!

emigrado del Este: entre la sociedad capitalista y la comunista, describe Marx, se sitúa la fase de transformación revolucionaria de una a otra, una especie de transición política en la que el Estado, antes de abolirse a sí mismo, deberá instaurar una dictadura de la clase proletaria! pero nuestro brillante futurólogo no especificó la naturaleza ni la duración ni las características de esta transición y dio un verdadero cheque en blanco a los detentadores del poder bolchevique!
profesor de Oxford: cuando los socialistas alemanes preguntaron a Engels en que consistía dicha dictadura el coautor del *Manifiesto comunista* se salió por la tangente y citó la Comuna!
ácrata español: la frasecilla tiene su sabor! la actitud de Marx durante la Comuna fue realmente ambigua! la gran mayoría de sus miembros eran proudhonianos y blanquistas, no formaban parte de la Internacional! el alzamiento popular merece sin duda el calificativo de revolucionario, pero no el de marxista! si Marx admiraba por un lado el heroísmo de los insurrectos y se deshizo en elogios de ellos, por otro no se privó de criticar su extremismo en privado y achacarles la culpa de su fracaso, como revela su correspondencia con Liebknecht! el texto que redactó por encargo del Consejo General de la Internacional, a la que aún pertenecían los bakuninistas, lo concluyó dos días después del aplastamiento de la insurrección! es una obra admirable pero que, dado su demora, se redujo a una elegía! lo cierto es que, mientras los comuneros aclamaron a Bakunin, no invocaron el nombre ni las ideas de Marx! así, la apropiación a posteriori de la gesta fue puramente oportunista! hay pocos casos de desfachatez histórica como la de Engels al comparar la futura y aciaga dictadura del proletariado con una revolución ácrata y libertaria como la Comuna!

realizador: pero el Estado debe desaparecer o no con el advenimiento del comunismo?
discípulo de Godelier: el Estado no existe desde toda la eternidad! hay sociedades que se las han compuesto sin él, ignorando incluso la idea de sus poderes! pero una determinada fase del poder económico, ligada necesariamente a la división de la sociedad en clases, impuso la realidad del mismo! según Marx, pecando aquí, lo confieso, de un exagerado optimismo, nos aproximaríamos a pasos agigantados a un período en el que la existencia de clases no sólo dejaría de ser indispensable sino que constituiría un verdadero obstáculo al desenvolvimiento de la producción! en suma, las clases desaparecerán algún día de modo tan inevitable como el que surgieron y el Estado caerá fatalmente con ellas! la sociedad que reorganizará la producción sobre la base de una asociación libre e igualitaria de productores arrinconará la máquina del Estado en el lugar que le corresponderá en el futuro! el Museo de Antigüedades, junto a la rueda de piedra y el hacha de bronce!
profesor de Oxford: cómo se explica Vd. que al cabo de setenta años de dictadura supuestamente transitoria, el Estado, en vez de desmedrar y extinguirse, fortaleciera sus poderes hasta convertirse en una especie de monstruo omnímodo?
ácrata español: no deja de ser a la vez deprimente y grotesco que la inmensa mayoría de los pensadores e intelectuales admita todavía el poder político como algo de cajón! creo que si a fines del siglo XVIII empezó a resquebrajarse el imperio teológico sobre la filosofía, ahora, a fines del siglo XX sería ya el momento de que la filosofía entrara a saco en la idea naturalista del poder! ésta no se compagina con la libertad ni con el amor! pues si el amor es la afirmación del tú, el poder es incontestablemente su negación! y en esta encrucijada, me asalta esta pregunta, no resulta infinitamente más

nocivo el apetito de poder que el de propiedad o posesión? no habría sido cien mil veces más revolucionario y liberador el programa de Bakunin contra todo poder y contra el Estado que el de Marx contra el capital privado y expoliación económica, que a su vez desaparecerían con aquellos? explotar a un obrero o campesino no es tan odioso como encarcelarlo, torturarlo y matarlo! a fin de cuentas, no es el capital privado el que nos hace gastar en armamento centenares de miles de millones de dólares! sólo el Estado, la fatídica pugna entre Estados, nos conduce a la locura de la guerra nuclear, al peligro de una extinción total o parcial de la vida contra la que no cabe insurrección alguna!
emigrado del Este: lo más grave no es el hecho de que Marx desatendiera las advertencias de Bakunin, como Lenin las de Rosa Luxemburgo! olvidó también sus propias palabras! me permitirán que les lea uno de sus primeros escritos, publicado en el periódico que editaba antes de abandonar Alemania

> la esencia de la prensa libre, por su índole razonable
> y moral, es la de la libertad! la de la prensa censurada,
> la no sustancia e impersonalidad de la servidumbre!

profesor de Oxford: la experiencia actual nos enseña que la libertad de expresión presupone una democracia política y ésta, a su vez, una economía de libre empresa! sin estos elementos, todas las utopías, marxistas o no, desembocan en la anarquía o bien en la ineficacia, totalitarismo y corrupción!
ácrata español: Vd. confunde la libre empresa de las multinacionales que saquean nuestro planeta con la libre autorrealización propugnada por Bakunin y otros pensadores ilustres! mientras Vd. y sus congéneres piensan en la autosatisfacción y acumulación de bienes, ellos se expresan en términos de creatividad, de responsabilidad compartida!
emigrado del Este: una utopía más! sus palabras quedan muy

bien en la boca de un poeta, pero no en la de un político responsable!
ácrata español: permítame decirle, mi buen amigo, que desconfío de quienes desconfían de los poetas! la conocida expresión de Marx, a propósito de su amigo Freiligrath, qué mezquina y miserable ralea la de los poetas, no prefigura acaso las relaciones de los futuros regímenes comunistas con Ajmátova, Mandelstam, Pasternak y el suicidio de Maiakovski?
discípulo de Godelier: Freiligrath, versificador mediocre, fue una veleta políticamente hablando! los lazos de amistad de Marx y Engels con un gran autor como Heine se fundaron siempre en una actitud llena de respeto y admiración!
profesor de Oxford: qué le reprocha Marx a Freiligrath? el que, como poeta, necesite de libertad! el que haya tenido el coraje de escribirle que el partido es una jaula y canta mejor fuera de ella!
realizador: olvidémonos de los poetas o no acabaremos nunca! uno de los aspectos más discutidos de la teoría marxista es su percepción de lo que denominamos Tercer Mundo o con mayor precisión, del Sur en relación al Norte moderno e industrializado, ya que Marx defendió, al menos temporalmente, el colonialismo europeo y los beneficios de su visión civilizadora! sería interesante que nuestro invitado, profesor en la universidad de Bombay, se expresara sobre este punto!
el hindú: Marx y Engels adolecieron de un etnocentrismo de consecuencias funestas en el apoyo de los partidos europeos de izquierda a la llamada empresa colonial! los ejemplos de su vocabulario despectivo tocante a las culturas y sociedades afroasiáticas son en verdad lamentables! Engels habla de los celos, intrigas, ignorancia, codicia y corrupción de los orientales, del fatalismo oriental, de los abrumadores prejuicios, estupidez, docta ignorancia y barbarie pedante

debidos al fanatismo nacional chino! los árabes argelinos no salen mejor librados! según él, se distinguen por su estolidez, crueldad y espíritu de venganza por lo que la captura por los franceses del emir Abdelkader, futuro estudioso de Ibn Árabi, le parece sumamente afortunada, un paso importante para el progreso de la civilización! cuando refiriéndose a mi país, Marx escribe, si la memoria no me falla, que no existe en el mundo despotismo más absurdo, infantil y ridículo que el de los shahzmanes y shahrianes salidos de *Las mil y una noches* y retrata al Gran Mogol como un hombrecito amarillo, marchito y anciano, cubierto de oropeles y ataviado con ropas teatrales muy parecidas a las de las bailarinas del Indostán, el lector de hoy se sentiría inclinado a creer, si la cronología real no lo vedara, que el autor ha tomado esas descripciones de la industria cinematográfica hollywoodense! así, para Marx, Inglaterra tiene una misión en la India simultáneamente destructiva y regeneratriz! la aniquilación de la vieja e inepta sociedad asiática y la de asentar sobre sus ruinas los fundamentos materiales del capitalismo occidental!
discípulo de Godelier: es cierto que Marx creyó durante un tiempo en el papel benéfico del colonialismo como instrumento necesario de la modernización! pero denunció en seguida sus crímenes con persuasión y elocuencia! si la hipocresía y rapacidad inherentes a la civilización burguesa adoptan en Europa formas respetables, escribió, en el subconsciente hindú se muestran al desnudo! los colonialistas ingleses dicen ser los defensores de la propiedad pero no han recurrido, acusa, a extorsiones abominables contra los indígenas cuando la simple corrupción no ha bastado a alimentar su codicia?
el hindú: estas protestas morales, cuyo valor negaba el propio Marx, no obstan al hecho esencial! su convicción de que los hindús no cosecharían los frutos de los nuevos ele-

mentos sociales sembrados entre ellos por la burguesía colonialista británica hasta que las clases gobernantes de la propia Gran Bretaña no hubiesen sido barridas por el proletariado industrial! qué habría ocurrido si Gandhi, en vez de lanzar su movimiento popular de resistencia pacífica, hubiera esperado con los brazos cruzados la llegada de la providencial revolución proletaria inglesa?
discípulo de Godelier (excitado): Vd. acaba de censurar el final del texto que cita! la alternativa, indicada por Marx, a una hipotética revolución en Gran Bretaña! su referencia explícita al día en que los hindús reúnan la fuerza suficiente para zafarse del yugo colonial! cada vez que se amputa a Marx de sus dimensiones filosóficas y epistemológicas para ceñirse a frases u observaciones aisladas, el comentarista se limita a emitir juicios de valor sin tomar en consideración lo primordial, la riqueza teórica del texto!
realizador: me gustaría conocer la opinión de Ms. Lewin-Strauss al respecto
Ms. Lewin-Strauss: no he venido aquí a discutir entre varones de las contradicciones teóricas de la dominación masculina! por qué figura sólo una mujer en la lista de invitados a esta emisión? no somos acaso las mujeres la mitad de la especie humana? el papel de representante simbólica de mi sexo me parece una coartada de la sociedad machista, una manera de soslayar el debate sobre una cuestión esencial como la de la ignorancia absoluta de Marx tocante a la opresión doméstica, y no sólo social, sufrida incluso por su esposa e hijas!
realizador: pues vayamos a ello! tiene Vd. la palabra!
Ms. Lewin-Strauss: los marxistas nunca admitieron las ideas un tanto ácratas de Lafargue acerca de la existencia del matriarcado en la sociedad primitiva! según el marido de Laura Marx, la superioridad de las mujeres en materia de gobierno, menos sujetas a las pulsiones de agresividad y dominio

consustanciales a los machos, se manifestaría de nuevo en la futura sociedad comunista liberada de prejuicios burgueses y creencias atávicas! pero en los sistemas creados de acuerdo al modo de Marx, las escasas mujeres que accedieron a puestos de responsabilidad, lo lograron en la medida en que interiorizaron y asumieron el discurso machista!
emigrado del Este: considera Vd., que Pasionaria y Anna Pauker fueron un dechado de humanismo y dulzura?
Ms. Lewin-Strauss: Vd. ilustra con ejemplos cuanto acabo de decir! ellas y otras mujeres integradas en la sociedad masculina han sido las excepciones que confirman la regla! mientras los hombres controlen los ejércitos y toda la panoplia actual de armas letales no podrá hablarse de sociedad feminista, a lo sumo de contrasociedad! aunque una bolchevique como Alejandra Kollontai advirtió las cosas con claridad, se vio forzada a callar y obedecer a los ucases del llamado Padrecito de los Pueblos!
realizador: puesto que hablamos de la URSS, es decir, de la difunta Unión Soviética, creo percibir una contradicción radical entre el modelo revolucionario expuesto por Marx y la dictadura bolchevique de Lenin!
profesor de Oxford: el caso específico ruso planteó a Marx un dilema del que escapó a costa de contradecir su propia doctrina sobre la necesidad histórica del capitalismo! Rusia era el único país en el que la propiedad comunal agraria se había mantenido en una vasta escala y el desarrollo industrial iniciado en 1861 con ayuda de capitales franceses y británicos podía frustrar según él la más bella ocasión ofrecida por la historia a pueblo alguno de evitarle pasar por todas las vicisitudes de un sistema que él juzgaba despiadado y explotador! tanto Lenin como Mao se aferraron a estos párrafos para justificar teóricamente sus revoluciones, realizadas como sabemos no desde dentro sino fuera del orden de producción burgués!

discípulo de Godelier: Vd. simplifica las cosas y hace afirmaciones que deberían ser matizadas! en el prólogo a la edición rusa del *Manifiesto*, Marx precisa que la transformación de la sociedad semi-industrial, semi-agraria sería únicamente posible con ayuda de una impulsión exterior, la de la revolución socialista en Europa!
profesor de Oxford: lo malo para él y la masa de fieles creyentes es que ésta no se produjo! Lenin y Trotski esperaron en vano el triunfo de la revolución alemana! sólo cuando se impuso la evidencia de que la burguesía era capaz de resistir y superar el efecto devastador de la guerra, Yosif Visarianovich elaboró su teoría de la revolución en un solo país!
el hindú: todas las revoluciones del siglo XX se han desarrollado en países predominantemente agrarios como China, Cuba, Vietnam! las conjeturas de Marx se estrellaron contra la realidad! no obstante el rigor de las premisas de las que partía, resultaron un verdadero fiasco!
emigrado del Este (despectivo): el marxismo es una basura ideológica no reciclable!
discípulo de Godelier: mi querido colega, Vd. sabe muy bien, el sistema de libre empresa que defiende con uñas y dientes es capaz de reciclarlo todo, incluso a personas de su índole!
emigrado del Este (a gritos): estamos en una tribuna de discusión democrática y libre, no en los procesos de Moscú!
discípulo de Godelier: es Vd. quien se conduce como Vichinski!
realizador: dejemos de lado las invectivas personales! el tiempo apremia y quisiera preguntar al hasta ahora silencioso autor de esta novela su opinión personal sobre Marx!

desde que el paisaje de ruinas ideológicas presentido hace una docena de años

(cabeza intacta de Karl, escultura oxidada de Friedrich, perilla y un trozo de calva del ínclito Vladimir Ilich, desenterradas por equipos de eruditos y arqueólogos en busca de las bases, profecías y dogmas del materialismo dialéctico)
es una realidad, los desafueros y crímenes de su sistema han pasado a un segundo plano de tu conciencia y la sucesión de desastres de un mundo sometido a la ley del monetarismo a ultranza, los continentes hundidos en irremediable miseria, devastación planetaria, xenofobia, racismo, mafias eurobancarias, purificaciones étnicas, universal planificación orweliana te parecen más apremiantes!
cómo convencer a aquella docta asamblea de que en el momento mismo del derribo de las estatuas y quemas de las efigies de Moro de Vladivostok a Tirana, la iniquidad del nuevo mundo configurado por los teóricos de la libre empresa convalida paradójicamente sus denuncias y diatribas incendiarias?
de que su error consistió tal vez en pensar en términos de poder y no de dicha, aunque la búsqueda de ésta interese más que aquél a la inmensa mayoría
que sólo una propuesta capaz de trascender los límites del ser humano puede mantener al mismo en el nivel de la humanidad mientras que una sociedad reducida a su dimensión puramente económica conduce de modo inevitable a la infrahumanidad, a una nueva forma planificada de tiranía?
(el filósofo retratado en el plató enarca aún sus cejas arborescentes a todas luces, el monólogo interior le importuna!
Marx (en un susurro): acabe de una vez con el abuso del dichoso pronombre relativo! en lugar de ocuparse tanto en mí y mis ideas haría mejor en explicar a los lectores el propósito y estructura de su novela!
pasado el primer instante de sorpresa, te verás obligado a conceder que tiene razón)
la obra comprometida con tu editor, como todas las de tema biográfico-realista aclamadas por público y crítica, no corre el riesgo de dejar inexpresadas las premisas del juego al escamotear los mé-

todos conforme a los cuales una propaganda insidiosa configura la mente de los lectores que se arriman al texto? en una sociedad uniformada por el imperio de la imagen, qué valor literario y moral tendría poner la pluma al servicio de ésta y trazar relatos históricos como esas escenas reconstituidas en estudio de acontecimientos y crímenes sórdidos? no sería más incitativo y fecundo desenmascarar los mitos e instancias intermedias que operan entre el gran público y Marx, integrando en la obra los filtros a través de los que percibimos su elusiva y contradictoria personalidad? en vez de resignarse a aceptar la escritura como sierva de la tecnología, por qué no introducir los estereotipos y mediatizaciones de aquella en el ámbito de la novela, invirtiendo los papeles y subordinando las cotidianas irrupciones televisivas y sus mensajes subliminales a las reglas del campo de maniobras abierto por Cervantes? el rasgo de genio de ese anodino vicepresidente norteamericano de polemizar con el personaje de la madre soltera de una popular serie televisiva, no era la prueba concluyente de la interacción entre realidad y ficción, de la contaminación cervantina del espectador, del camino a seguir para calar en las capas de nuestra aprehensión de lo real, más allá de la lisura mendaz de su fotografía?

sumido en estas divagaciones, no has reparado en que, desde hace un buen rato, el plató parece inmovilizado! los invitados al debate permanecen inactivos, congelados en el gesto y postura en los que se hallaban cuando el realizador te dio la palabra! el discípulo de Godelier prolonga el incómodo movimiento de verter agua mineral en su vaso! el hindú perpetúa el ademán de acariciarse la barba! el emigrante del Este se aferra indefinidamente al mechero con el que pretende encender un Marlboro!

tu imperdonable descuido, como el del desdichado Sterne al olvidar al personaje de la fisgona con la cara pegada al ojo de la cerradura por espacio de casi doscientas páginas, ha paralizado al plató entero, con el realizador del programa, participantes y técnicos y, quién sabe si además de ellos

(tales son los poderes de la escritura!)

a una audiencia estimada en dos millones de telespectadores, condenados también por tu culpa a una inercia forzada! el paro hogareño, de alcance superior a los logrados con denuedo por las centrales sindicales en esos tiempos duros de recesión y apatía, te colma a un tiempo de discreto orgullo y desconsuelo inmenso! tu desventurada inclinación a olvidar la acción principal y tirar por los cerros de Úbeda ha ocasionado, en el momento en que las cosas parecían tomar un buen rumbo, un desastre completo!
qué dirá tu estatuario editor, petrificado en su asiento de la penumbra?
abatido, te volverás hacia el anfitrión en demanda de ayuda

realizador (echándote un capote con naturalidad y savoir faire): vamos a responder ahora a algunas de las preguntas formuladas por los espectadores a nuestra unidad informativa durante el transcurso de la emisión! María, me escucha Vd.?
voz en off: sí, José Luis!
realizador: puede Vd. enumerarnos los temas que más han interesado al público?
voz en off: un sociólogo de Murcia formula dos preguntas, dirigidas a François Punset! primera, es cierto que Marx escribió «espero que hasta su fin la burguesía se acuerde de mis furúnculos»? segunda, en caso afirmativo, no se podría deducir que el marxismo, con su teoría del odio entre clases, fue fruto de su furunculosis?
discípulo de Godelier (sarcástico): el señor sociólogo haría mejor en preguntarse qué clase de endeblez mental, pasajera o incurable, le induce a plantear semejantes preguntas!
(hay toses, carraspeos y como un leve movimiento de alas, similar al que produciría la llegada nocturna de un intruso al interior de un gallinero)
voz en off: un ex permanente del partido comunista que hoy vota a la derecha señala que a la muerte de su amigo Roland Daniels, el aún joven Marx escribió a su viuda: «le

recordaré siempre como a un dios griego, arrojado por un capricho del azar en medio de una banda de hotentotes» y su pregunta es la siguiente, dicha comparación no es peyorativa y racista?
realizador: a quién va dirigida?
voz en off: a nuestro escritor!
tú: el humor de Marx puede prestarse a equívocos para quien desconoce su vida! así, empleó siempre cariñosamente el término hotentote, hasta el extremo de apodar con él a una de sus hijas!
(la agitación y bulla del gallinero parece ir en aumento)
realizador: María, podría Vd. desglosar las preguntas en grupos temáticos?
voz en off: José Luis, ante todo una información que recibo al instante! una mayoría del público centra su atención en la trama y episodios evocados en *La Baronne Rouge*, sobre la cual un 78 % emite una opinión favorable y sólo un 11 % negativa!
realizador: los datos corresponden a Madrid o a un muestreo de toda España?
voz en off: de toda España, José Luis!
realizador: bien, prosigamos!
voz en off: una telespectadora de Vic desearía saber si hubo un idilio real entre Marx y la condesa Hatzfeldt! un empleado de banca de Albacete dice que no queda claro si la mujer de Marx descubrió la paternidad del hijo de Lenchen! un grupo de amigas de Córdoba manifiestan su solidaridad con Jenny Marx y acusan al marido de doble moral y egoísmo! un ama de casa de Zaragoza se interesa por el destino de las hijas y pide el título en castellano de alguna biografía de la familia! un viticultor de Logroño, es cierto que en aquel tiempo se trataba la viruela, como la sufrida por Jenny, con clarete de Burdeos? un jubilado de Benidorm, conocían los obreros ingleses el tren de vida de los Marx en Modena

Villas y las prodigalidades de Engels? una estudiante de Letras de Granada, la inseguridad y depresiones de Tussy, no se explicarían en lenguaje freudiano por un irresuelto complejo de Edipo? varios telespectadores critican en fin la composición del grupo de participantes en el programa y aplauden la intervención de Ms. Lewin-Strauss! uno quisiera ver entre ellos a una víctima del gulag! una peña de mineros de la cuenca del Nalón, protestan contra el hecho de no haber sido invitados a exponer a los difusores de un filme antimarxista el desmantelamiento industrial y actual desertificación de Asturias por las multinacionales y eurócratas de Bruselas!
realizador: aprovechando los dos minutos escasos que seguimos en antena, alguno de Vdes. quiere responder a estas preguntas?

Pero el rumor de alas inquietas, paulatinamente alborotadas, entreverado con un bullicio confuso de cloqueos y voces lejanas crece en intensidad! arracimados ejemplares de gallináceas parecen huir de estampida, emprender vuelos cortos, aterrizar unos sobre otros, modular cacareos furibundos como rentistas soprendidos en su buena fe por una falsa emisión de bonos del Tesoro! gregarios, arrebatados, escandalosos, los miembros de un ejército ignoto invaden los estudios, se abren paso entre operadores y técnicos, ponen a las azafatas en fuga, prorrumpen en el plató en directo!
deberías haberlo previsto desde el principio! quiénes podrían ser sino ellos?
docenas y docenas de albaneses de pantalones raídos y camisas astradas, vendas frontales, barbas cerradas, atrabiliario aspecto de piratas, cuerpos chupados, órbitas hundidas, mirada sonámbula, movimientos salvajes y acorralados! han ve-

nido a pie desde Barcelona, cubierto seiscientos kilómetros de distancia, hambrientos, exhaustos, rabiosos, para intervenir en el programa, debatir con vosotros, exigir cuentas al fundador del sistema responsable de sus desgracias! quieren discutir con él, mostrarle adónde conducen sus teorías, maldecir cuarenta y cinco años de grisura y pobreza, exponer el caso al gran público, llamar la atención de las autoridades, conseguir visados para América!
América?
sí, Dallas, Dallas! paraíso entrevisto por el ojo de cíclope del televisor, grandes mansiones rodeadas de césped, hogares confortables, garajes privados con parque de automóviles deslumbrante, mujeres de rubia mata de pelo y pechos erectos, recepciones suntuosas, dinero fácil, jodienda segura, güisqui a discreción, utopía trocada en realidad palpable!
la peregrina multitud gesticula, se expresa mediante mímica y señas, eleva inútilmente la voz con la esperanza de hacerse entender por el realizador e invitados, increpa con puño anticomunista al impasible filósofo del retrato, le reta a que baje al ruedo, se mida con ella, deje de una vez el olimpo al que sus sucesores le encaramaron, sí, a Marx, al redentor laico, descubridor de leyes científicas inalterables como las de Darwin, profeta incansable de una revolución incumplida por la disolución gradual del proletariado, apóstol traicionado por sus discípulos, vendido por sus ex secretarios de partido por un billón de monedas de plata!
al examinarle con melancolía y algo de afinidad solidaria, captarás su mirada de desprecio con la que antes barría a proudhonianos y blanquistas, bakuninistas y lassallianos

> venga a verme a Highgate, descifrarás en el movimiento de sus labios
> me pudro allí desde hace más de un siglo y en sus jardines podrá conversar con los míos con un poco de sosiego y de calma!

V

SEGUISTE el consejo, volaste a Londres, tomaste directamente un taxi del aeropuerto a Highgate!
otoño amarilleaba y desvestía las ramas desvalidas de los árboles, atareados u ociosos viandantes acudían a rezar en el panteón de sus deudos o se detenían en el pequeño puesto de folletos marxianos y tarjetas postales instalado a la entrada de Swains Lane
adquiriste el cuaderno editado por los amigos del Cementerio de Highgate y un plano indicativo del lugar de la tumba (originariamente, ésta consistía en una modesta losa con los nombres de Jenny, Moro, Harry Longuet y Lenchen, conforme a los deseos de Eleanor y Engels de no erigir monumento alguno al filósofo del movimiento comunista y padre de la Internacional, pero el estado de abandono en el que cayó en las siguientes décadas, pese a la afluencia continua de peregrinos y fieles, decidió en 1956 al Partido Comunista británico a construir una nueva en la esquina noroeste del ámbito, inaugurada en el aniversario del fallecimiento en presencia de dos de sus nietos)
tras vagabundear entre mausoleos de ex reyes y magnates de la industria y ferrocarriles, de George Eliot y Herbert Spencer, decidiste pisar los talones a un vistoso grupo de turistas japoneses provistos de vídeos y máquinas fotográficas
caminabas cuesta arriba por senderos enfangados, absorto en la quietud del bosque, acariciado por un viento fresco y vivificante

te aguardaría Marx de acuerdo a las palabras susurradas en el plató del estudio o se habría olvidado de la cita con el tumulto y griterío de los albaneses?
mientras la paulatina ausencia de cruces y aparición de hoces y martillos en las estelas fúnebres anuncian la cercanía del monumento, deletreas las señas identificatorias de quienes de Brasil a la India han querido apiñarse en torno al maestro, como para arroparse aún, en el polvo y silencio, con el calor e inmediatez de su sabiduría
un pedestal rectangular de granito sostiene un feo busto barbudo-macrocéfalo y una lápida engastada en el centro menciona los nombres y fechas de los yacentes en el sepulcro antiguo

JENNY VON WESTPHALEN
la amada esposa de
Karl Marx
Nacida el 12 de febrero de 1814
Muerta el 2 de diciembre de 1881
Y KARL MARX
Nacido el 5 de mayo de 1818
Muerto el 14 de marzo de 1883
Y HARRY LONGUET
su nieto
Nacido el 4 de julio de 1878
Muerto el 20 de marzo de 1883
Y HELENA DEMUTH
Nacida el 1 de enero de 1823
Muerta el 4 de noviembre de 1890

a los que se ha añadido los de Eleanor, cuyas cenizas custodiadas sucesivamente por la Federación Social Democrática, Partido Comunista y la Marx Memorial Library, fueron depositadas en 1956 en el nuevo y desangelado monumento

la consigna final del *Manifiesto comunista* inscrita en letras doradas en lo alto de la peana

PROLETARIOS DE TODOS LOS PAÍSES
UNÍOS!

y una reproducción de la cita marxiana, extraída de la undécima *Tesis sobre Feuerbach*

LOS FILÓSOFOS SÓLO HAN INTERPRETADO
EL MUNDO DE DIFERENTES MODOS
LA CUESTIÓN ESTRIBA CON TODO
EN TRANSFORMARLO

completan la ornamentación del monumento fotografiado por el grupo de turistas y contemplado con recogimiento por una pareja de jubilados británicos
a tu lado, una dama con un sombrero negro dispersa un ramillete de flores y se enjuga discretamente el rostro con el pañuelo
(ninguna pintada agresiva, como en Moscú, Berlín, Kiev o San Petersburgo, implora perdón al proletariado ni pretende eximir de toda culpa al difunto respecto a lo ocurrido en los regímenes del «socialismo real»)
el espacio frondoso en el que te hallas orquesta sutilmente el leve tremor de las hojas y trino de diferentes especies de pájaros
unas palomas devoran el alpiste que la dama del ramillete y sombrero distribuye a mano suelta unos metros más lejos, como para completar su periplo de nostalgia y de paz
al alejarte unos pasos de los flashes y disparadores de los japoneses, advertirás de pronto la solitaria presencia de una figura familiar apaciblemente acomodada en un banco.

Es la muchacha rubia, de ojos luminosos y zarcos, frente alta, mentón enérgico de la que hablan los amigos del matrimonio cuando fue enviada de Tréveris como regalo por la madre de Jenny, en cuya casa servía desde la infancia?
o esa saludable y atractiva ama de llaves y genial cocinera pintada por Marian Skinner, juvenil no obstante la sesentena, con pendientes de oro y redecilla en la cabellera, famosa por no morderse la lengua y decir cuanto piensa a su irascible y venerado señor?
tus visitas escalonadas a Moro y Jenny no te permiten ajustar la descripción
(escamoteada entonces para desesperación y furia de tu editor)
a la estampa de la mujer sentada en el banco, a esta Helena Demuth o Lenchen propulsada desde la mansión nobiliaria de una vetusta ciudad provinciana al remolino de la existencia febril de una pareja de revolucionarios profesionales sin hogar ni medios de subsistencia, zarandeados de un lugar a otro así por razones políticas como de insolvencia, conmovedoramente fiel a sus señores a través de toda clase de pruebas, acoso de acreedores, visitas al Monte de Piedad, expulsiones, desahucios, años y años de precariedad, comida incierta, noches en vela, enfermedades, partos, madre y esposa de Karl, madre y hermana de Jenny, madre y nodriza de toda su descendencia, testigo impotente de las caladas de la muerte en el nido de la familia, forzada a ocultar a ojos del mundo al causante de su embarazo, a desprenderse de su único hijo, trabajar sin salario y a veces con sus irrisorios bienes empeñados y sin embargo serena, tenaz, siempre combativa, comprometida a fondo en el triunfo de una causa que sólo captaba de manera intuitiva, ignorante de los conceptos de plusvalía y lucha de clases pero instintivamente segura de responder a los desafíos de su extraordinario destino, dueña secreta del hombre cuyas ideas iban a trans-

formar el mundo, sostén de un matrimonio que sin su apoyo habría naufragado, ella, pobre campesina sin luces salvada del anonimato de la especie gracias a su milagrosa inmediatez a aquel núcleo de seres excepcionales, fecunda experiencia de una convivencia de décadas en la alegría, la acción y las lágrimas!
(Lenchen te observa con curiosidad, sin manifestar ninguna señal de sorpresa)
tú: no sé si se acuerda Vd. de mí? fui a visitarles cuando vivían en Dean Street y luego a Grafton Terrace y Modena Villas! estaba escribiendo ya esta novela sobre la vida de la familia!
Lenchen: sí, claro que le recuerdo, el señor del batacazo! el día en el que Vd. rompió la pata de la pobre silla!
tú: tiene una excelente memoria! lo sucedido se remonta a muy lejos!
Lenchen: es que también le vi ayer en el programa de televisión! eso reavivó mis recuerdos!
tú (halagado): de verdad? qué le pareció?
Lenchen: su intervención poco brillante tuvo al menos el mérito de ser brevísima!
tú: yo creo que el debate
Lenchen (abandonando por un instante su placidez): a eso no le llamo yo debate! fue pura y simple palabrería! por suerte, la llegada de los albaneses puso una nota inesperada de color!
tú: le divirtió?
Lenchen: desde luego! qué conocen estos señores tan aupados de la vida real de Moro y su familia? metieron alguna vez la nariz en Dean Street, presenciaron la agonía de sus hijos y nietos, asistieron a la enfermedad contagiosa de Jenny cuando le impusieron la cuarentena y únicamente Moro y yo podíamos acercarnos a ella y darle de beber esos sorbos de clarete que, digan lo que digan los telespectadores, contribuyeron a restablecerla? en cuanto a la película que pro-

yectaron antes la dejé a medias! a qué perder el tiempo en semejante fábula! yo, la auténtica Lenchen, puedo afirmarle que mi personaje es totalmente falso! nunca vestí como viste ni hablé como habla! no sabe Vd. que Tussy se reía de mi acento y me regañaba por pegárselo al hijo mayor de Jennychen? en cuanto a la cofia con la que se tocaba es sencillamente ridícula! en mi vida me disfracé de camarera, ni siquiera en la inauguración de Modena Villas! mejor permanecer en mi lugar y embeberme en la calma y silencio de Highgate!
tú: no le tentó la curiosidad de ver el filme hasta el fin por absurdo y mediocre que fuere?
Lenchen: después de una vida colmada como la mía prefiero el sosiego del cementerio! desde aquí he seguido todos los desfiles y conmemoraciones del mes de marzo, el despliegue de un mar de banderas rojas con estrellas, hoces y martillos, el canto de la Internacional! también sorprendí al comando de fascistas que hace veinte años profanaron el monumento, la explosión de un odio de clase cuya violencia me reconfortó! pero de ordinario los días transcurren quietos, con un puñado de forasteros que fotografían la tumba o se recogen ante ella
(suspiró)
sí, pasaron los tiempos en los que una multitud con banda de música y flores desfilaba de Tottenham Street y Hampstead Road a Highgate en homenaje a Moro y los mártires de la Comuna y más de quinientos policías a caballo acordonaban el cementerio y cerraban sus puertas, sin permitir siquiera que Tussy depositara una corona! ahora los peregrinajes son mucho más raros y la mayor parte del tiempo estoy a solas, atenta a la llegada de los curiosos y de quienes, a pesar de los pesares, se mantienen fieles a los ideales de Moro, a la Revolución a la que consagró su vida! son pocos, pero asiduos y estaban tan asqueados como yo el día en el que

un equipo de televisión filmó a dos mequetrefes vestidos de Mickey Mouse y Pato Donald haciendo monadas frente a la tumba! qué mensaje o designio encubrían sino el de achatar y empequeñecer aún más la mente de todos los adultos y niños del mundo? payasos, payasos grotescos que despejaron finalmente el campo orondos y orgullosísimos! dignos sucesores de aquellos hippies disfrazados de guerrilleros, con barbas de Cristo y collares de flores, que decían venir de la Sorbona y barricadas de mayo como héroes comuneros! se fueron, también se fueron y cedieron el terreno a las señoras amigas de los animales que acuden a diario con cucuruchos de alpiste a alimentar a las palomas!
(sonrió, y nunca viste tal mezcla de picardía y candor extenderse de unos labios al hoyuelo de unas mejillas)
habráse visto ocurrencia! mantener a unas aves crueles y estúpidas, de apariencia falsamente benigna, capaces en verdad, por puro gusto, de rematar a picotazos a la que envejece o enferma! cómo pudo elegirse a un bicho así emblema y símbolo universal de la Paz? las vio alguna vez su compatriota pintor cumplir la necia y bárbara ejecución de un indefenso ejemplar de su especie? recuerdo el día en el que Freddy, mi hijo, se presentó aquí con un ramillete y esas damas sin seso perturbaron con sus arrumacos y voces el milagro de nuestro encuentro! era ya un hombre hecho y derecho, cuya honradez e ideas habrían enorgullecido a su padre! venía solo, siempre con un tímido mazo de rosas rojas, yacíamos aún en la parte baja del cementerio, en el viejo sepulcro semihundido y cubierto de hierbas silvestres y yo estaba allí sin que él me viera, exactamente como en los domingos y días festivos, cuando le recibía en casa de Engels, después del fallecimiento de Jenny y Moro y mi mudanza a Regent's Park Road! nunca hablábamos de su nacimiento ni de los años en los que creció en el campo con su familia adoptiva! era sincero, bondado-

so, modesto, entregado a su trabajo de mecánico y actividades sindicales! sólo la buena fe explica su matrimonio desdichado y el aprieto en el que se vio cuando la zorra de su mujer abandonó el hogar y a su hijo Harry, arramblando además con 24 libras confiadas a Freddy por sus compañeros de célula! cuántas veces, en la cocina-despensa, le había puesto en guardia contra su sentimentalismo y generosidad! crees acaso, le decía, que todo el mundo es como tú y anda por la vida con el corazón en la mano? no has visto a las palomas ensañarse en sus congéneres débiles y vencidas? imaginas que los humanos somos mejores? pero él era puro altruismo y no comprendía esa clase de discursos!
(habías dejado de verla, sólo la oías
tu memoria había retrocedido casi medio siglo a la verja del jardín de tu casa barcelonesa, cuando Julia o Eulalia conversaba largamente a media voz los domingos con su presunto sobrino, aquel hijo ilegítimo concebido en la adolescencia por obra de un canónigo de Huesca y criado después en un entorno remoto y desconocido
no había renunciado también ella a su amor e inmediatez para volcar su inagotable capacidad de afecto a los huérfanos de un matrimonio ajeno y consolar de algún modo la melancolía de un padre solitario y viudo?)
Lenchen: deje Vd. de una vez sus digresiones! ni Vd. ni nadie podrá comprender lo que fue mi vida ni los sacrificios que me impuso! qué sabe esa profesora sabihonda de mis relaciones con Moro y los suyos? me explotaron durante cuarenta años y no pude legar sino 90 libras a Freddy? fui víctima, como dijo, del ancestral derecho de pernada al que están sujetos los siervos? tuve que apechar con los problemas domésticos, hacer frente a la jauría de acreedores, cuidar y ayudar a parir a Jenny y a sus hijas, viajar de un sitio a otro para ocuparme en los nietos franceses, acompañar en

sus últimos instantes a la señora y cerrar los ojos a Moro después de acunarlo como a un crío? pues lo hice por voluntad propia y volvería a hacerlo un millón de veces! me vio reír con ellos, jugar al ajedrez con Moro, salir de excursión al campo con el matrimonio y las niñas? quién sino yo en esta familia carente de todo sentido práctico como llena de inteligencia y de fantasía, podía guisar, hacer pasteles, cortar y coser el patrón de los vestidos, remendar trajes, cargar y descargar cajas de libros durante las sucesivas mudanzas, convencer al panadero, carnicero y vendedor de verduras de que nos fiaran de nuevo, consolar a Jenny de los estragos de la viruela, estar siempre allí en donde me necesitaban? han conocido los legisladores y doctos que me exhibieron en el programa a un hombre del genio y coraje de Moro, con tal caudal de ideas y capacidad de luchar por ellas? ni por asomo! seres así no se dan en todos los siglos! me visitó? sí, recibí su visita! no fueron agraciadas también las siervas de los profetas según nos cuenta la Biblia? a qué mujer de extracción humilde le cupo una gloria como la mía? ni aun en los peores momentos de miseria y desdicha esta bienaventuranza me desamparó! su virtud me procuraba energías de cara a la adversidad, calumnias, persecuciones, la muerte que se cernía sobre la familia! mi gozo secreto barría penas y obstáculos! vivía en mi centro, morada y delicias! y luego estaban las veladas, fiestas, conmemoraciones, aniversarios cuando todos reíamos e inventábamos motes a personas, loros, perros y gatos o me iba por mi cuenta al circo Astley y fabricaba trajes y disfraces para las chiquillas! a eso le llaman alienación? el que asumiera libremente mis actos hasta sus consecuencias últimas? merezco en verdad ser compadecida? sepan que en cualquier caso no cambiaría mi vida por ninguna de las suyas!
(su voz parecía extinguirse, llegaba hasta ti con dificultad) buscaste en vano con la mirada el frondoso jardín de High-

gate y monumento a Marx, a los turistas japoneses y jubilados británicos, el banco en donde se sentaba Lenchen todo se había esfumado!
alargaste el brazo hasta dar con el volumen en el que figuraba la fotografía juvenil de Helena Demuth, tomada poco después de su partida de Tréveris
ibas a describir todavía la belleza de sus rasgos, su cabello rebelde al peinado, el camafeo colgado del cuello?
volviste a los orígenes de la escritura cuando, a la edad de trece años, eludías el enojoso retrato balzaciano de tus novelas de aventuras, seleccionabas imágenes de artistas de cine de la época y las pegabas a las páginas del cuaderno manuscrito con el nombre de tus héroes y heroínas
cogiste como entonces las tijeras y recortaste el retrato borroso de «la fiel Lenchen»

concluida la tarea, expurgaste la bibliografía marxiana acumulada en los estantes de la biblioteca hasta dar con la frase de Nicolaievski y Maenchen-Helfen tocante a las ilusiones suscitadas en Marx y Engels por la revolución de 1848 y la desorientación subsiguiente a su desvanecimiento brusco quienes se hallaban en el interior del movimiento no podían creer en su fin, la revolución formaba parte de sus vidas, se había convertido en su mundo y les ocultaba el otro, distinto y complejo, que había engendrado! no reconocían este universo moderno, les parecía imposible que el suyo hubiese terminado, mañana, pasado mañana renacería, todo volvería a cambiar! quien hubiera pensado de otro modo en tales circunstancias no habría sido un auténtico revolucionario, pero sólo un mal revolucionario habría podido demorarse largo tiempo en ese estado de ánimo, en vez de liberarse y advertir que un nuevo período histórico acababa de comenzar

no constituía la cita el mejor compendio y esquema de cuanto acaecía en el mundo durante tu asendereada redacción de esta peregrina novela?

Epílogo

QUIÉN te había mandado meterte en camisa de once Lenchens?
el tiempo de volar de Highgate a tu domicilio, la bomba informativa acaparaba la atención de los periódicos, canales televisivos, estaciones de radio
su sueño americano se había cumplido!
los veinte mil albaneses del ferry o nave felliniana acaban de llegar a Dallas!
los jumbo que los transportaban habían aterrizado sincronizadamente en las pistas del aeropuerto y los héroes del día, obsequiados por J. R. y familia con collares floridos y sombreros tejanos, habían sido acogidos con vítores por una multitud entusiasta!
veinte mil muchachas rubias, ligeras de ropa y piel exquisitamente bronceada, les aguardaban con su correspondiente automóvil de lujo para escoltarles uno a uno a las hermosas mansiones que les destinaban!
la larga y bulliciosa comitiva atravesó en medio de lluvia de confeti, sirenas y cláxones el centro de negocios de la ciudad, de esbeltos, espejeantes rascacielos, evitando cuidadosamente los guetos en donde se hacinaban negros e hispanos, hasta alcanzar la zona residencial de hogares inmensos y cómodos, césped limpio, perros de raza, garajes repletos de automóviles, chimeneas encendidas, tresillos de cuero, alfombras propicias, güisqui a discreción, jodienda asegurada!
mientras contemplabas aquellas estampas de dicha, el sonido

conminatorio del timbre, de unos timbrazos repetidos con incontenible impaciencia, te obligó a acudir a la puerta
el rostro de tu vecina de escalera parecía demudado de indignación y espanto, venga, deprisa, es algo alucinante! estoy recibiendo docenas de faxes dirigidos a Vd. desde Dallas, la máquina funciona sin parar y un rollo de más de cien metros se desenvuelve y anilla igual que una sierpe, como si quisiera asfixiarme!
corriste con ella al apartamento invadido por cilindros de papel punteado, interminables serpentinas mensajeras de idéntico contenido e idéntico destinatario, un GREETINGS FROM DALLAS seguido de expresiones de reconocimiento a tu arbitrio benéfico, a la idea salvadora de sacarles de apuros y conducirles al paraíso en el epílogo de tu novela!
la vecina parecía al borde del desmayo
recostada en su sofá, asistía impotente a la expansión indefinida del pliego de facsímiles, a las volutas y roscas helicoidales que confluían hacia ella y amagaban privarla de aire
lo siento! dijiste, abra de par en par el balcón y procure que se escurran como lianas fachada abajo!
la dejaste sumida en el maremagnum y, de vuelta a casa, examinaste con melancolía el rimero de facturas impagadas del alquiler, gas, agua y electricidad
un sobre con la letra inconfundible de tu editor te esperaba sobre la mesa y no necesitabas abrirlo para conocer la sentencia inapelable del tribunal
arrojaste bolígrafo y borradores a la cesta de papeles
todo había sido un error!
nunca escribirías *La saga de los Marx*!

Noticia biográfica de personajes históricos citados en la obra

Annenkov, Pavel (1812-1887). Latifundista liberal ruso, crítico y publicista. Amigo ocasional de Marx.

Auerbach, Berthold (1812-1882). Novelista, crítico de las ideas religiosas, autor dramático. Compañero de Marx en sus años juveniles berlineses.

Aveling, Edward (1851-1898). Polígrafo y militante antirreligioso inglés, convertido al marxismo. Compañero de Eleanor Marx hasta el suicidio de ésta.

Bakunin, Míjail (1814-1876). Oficial ruso de origen aristócrata. Encarcelado por el Zar. Refugiado en diversos países de Europa. Principal teórico del comunismo libertario y enemigo de Marx. Dirigente de la Alianza Democrática Socialista afiliada a la Internacional y expulsada de ésta en el Congreso de La Haya en 1872.

Bauer, Bruno (1809-1882). Crítico de la religión. Amigo de Marx en sus años juveniles. Derivó más tarde a posiciones individualistas y liberales.

Bebel, August (1840-1913). Fundador con Liebknecht del Partido Marxista de los trabajadores alemanes, fusionado luego con el Partido Socialdemócrata. Amigo de Marx y Engels. Editor con Bernstein de la *Correspondencia* entre ambos.

BERNSTEIN, Eduard (1850-1932). Miembro del Partido Social-demócrata alemán dirigido por Bebel y Liebknecht. Amigo de Marx y Engels y albacea testamentario del último. Adopta posiciones «revisionistas» en lo tocante al marxismo a partir de 1898.

BLANQUI, Auguste (1805-1881). Socialista revolucionario francés partidario de la insurrección armada. Inspirador de la Comuna. Pasó encarcelado la mayor parte de su vida.

ECCARIUS, Johann (1819-1889). Revolucionario próximo a las ideas marxistas. Miembro del Consejo General de la Internacional. Después de su ruptura con Marx se unió a la lucha del movimiento sindical inglés.

ENGELS, Friedrich (1820-1895). Filósofo, economista y revolucionario alemán, hijo de un fabricante de tejidos afincado en Manchester. Autor con Marx del *Manifiesto comunista*. Encargado de la publicación de *El Capital* después de la muerte de su maestro y amigo.

FREILIGRATH, Ferdinand (1810-1876). Poeta convertido a la Revolución después de 1848. Amigo de Marx y miembro de la Liga Comunista. Emigrado en Londres desde 1851 a 1868.

GOTTSCHALK, Andreas (1815-1849). Médico, revolucionario, amigo y, posteriormente, adversario de Marx.

HESS, Moses (1812-1875). Filósofo, escritor político, emigrado en París. Convertido a las ideas de Lassalle, participó en los Congresos de la Internacional entre 1868 y 1869.

LAFARGUE, Paul (1842-1911). Político francés que difundió en España las tesis marxistas (1871-1872). Autor de *El derecho a la pereza*, su obra revela igualmente la influencia ácrata. Esposo de Laura Marx, con la que se suicidó.

LISSAGARAY, Prosper-Olivier (1839-1901). Periodista republicano francés, comunero, emigrado en Londres en 1871. Autor de la *Historia de la Comuna*, vertida al inglés por Eleonor Marx, durante largo tiempo su prometida.

LONGUET, Charles (1833-1903). Socialista francés, proudhoniano y miembro del Consejo General de la Internacional. Casado con Jennychen Marx en 1872.

LORENZO, Anselmo (1841-1914). Anarquista español. Delegado de la Alianza Democrática Socialista afiliada a la Internacional en la Conferencia de Londres de 1871. Autor de *El proletariado militante*.

MESA, José (1840-1904). Propagador de la doctrina de Marx en España, amigo de Lafargue y miembro de la Internacional.

NECHAEV, Serguei (1847-1882). Revolucionario anarquista ruso; creador de un movimiento terrorista, retratado por Camus en *Los justos*. Amigo de Bakunin durante su estancia en Suiza. Entregado al gobierno zarista por las autoridades helvéticas, murió en la fortaleza petersburguesa de Pedro y Pablo.

PHILIPS, Lion (m. en 1866). Tío de Karl Marx y ejecutor testamentario de su madre. Comerciante próspero, padre de Nanette.

PROUDHON, Pierrre Joseph (1809-1865). Revolucionario francés considerado inspirador del anarquismo. Opuesto a las ideas de Marx. Su *Filosofía de la miseria* motivó la contundente respuesta de éste en *Miseria de la filosofía*.

RUGE, Arnold (1802-1880). Escritor político radical. Emigró a Londres. Primero amigo y luego adversario de Marx.

UTIN, Nikolai (1845-1883). Revolucionario ruso, enemigo encarnizado de Bakunin. Organizó la filial ginebrina de la Internacional.

WEITLING, Wilhelm (1808-1871). Sastre alemán, partidario del comunismo igualitario utopista, condenado por Marx.

WILLICH, August (1810-1878). Ex teniente del ejército prusiano. Participó en la frustrada revolución alemana de 1848. Emigrado en Londres. Adversario de Marx.

WOLFF, Wilhelm (*Lupus*) (1806-1864). Maestro y periodista. Emigró a Londres en 1851. Fiel amigo de Marx, a quien éste dedicó el primer volumen de *El Capital*.

Breve bibliografía consultada

Yvonne Kapp, *Eleanor Marx, Family life (1855-1883)*, Londres, 1971.
Anselmo Lorenzo, *El proletariado militante*, Alianza Ed., Madrid, 1974.
Karl Marx, *Obras completas*, Siglo XXI, Madrid, 1975.
Karl Marx-Friedrich Engels, *Correspondence*, Londres, 1934.
— *Sobre el colonialismo*, Córdoba, Argentina, 1972.
Jenny, Laura y Eleanor Marx, *Family correspondence 1860-1898*, Londres, 1982.
Boris Nicolaievski y Otto Maenchen-Helfen, *Karl Marx*, París, 1937.
Robert Payne, *Marx. A Biography*, Nueva York, 1968.
H. F. Peters, *Jenny la Rouge. Madame Karl Marx, née baronne von Westphalen*, París, 1986.
Fritz Raddatz, *Karl Marx, une biographie politique*, París, 1978.